DEUTSCHLAND

Von der Waterkant bis zum Alpenrand

Abbildungen

Abkürzungen: Silvestris Fotoservice – SF, Archiv für Kunst und Geschichte – AKG.

4 (v.o.n.u.) Krausz, Böttcher, Bildagentur Huber, Stadler/SF; 5 (v.o.n.u.) Lange/SF, Böttcher, Krämer/IFA-Bilderteamm, Schneider, SF; 6 Stadler/SF, 7 Dressler/Look; 8 (v.l.n.r.) SF, Quedens, SF, 8/9 Steinkamp/SF; 10/11 Walz/SF; 12 Kürtz, 12/13 Kürtz; 14 Kürtz, 15 o. Hänel/Bildagentur Huber, 15 u. AKG; 16/17 Heim, 17 o.Teegeber/SF, 17 u. AKG; 18/19 Böttcher; 20 o. Walz/SF, 20 u. Stadler/SF, 20/21 Stadler/SF; 22 (v.l.n.r.) Albers, Poguntke/Xeniel-Dia, Wisniewski/SF, 22/23 Böttcher; 24/25 Schapowalow, 25 Rademaker/Transglobe; 26 Otto/SF, 27 o. Schug/SF, 27 u. Korall/SF; 28 Schilgen, 28/29 SF; 30 Korall/SF, 30/31 Schilgen/SF; 32/33 Eckhardt/IFA-Bilderteam; 34 Klaes, 35 o. Xeniel-Dia, 35 u. Thiele; 36 (v.l.n.r.) Weisflog, Böttcher, Pansegrau, 36/37 Bildagentur Huber; 38/39 Schneider; 40 Böttcher, 40/41 Riehle/laif; 42/43 Böttcher, 43 Böttcher; 44/45 Böttcher, 45 o. Böttcher, 45 u. Sittl; 46 Weisflog, 47 o. Heine/SF, 47 u. Pansegrau/SF; 48/49 Koshofer/Kiedrowski, 49 Böttcher; 50 o. Böttcher, 50 u. Kertscher, 51 Böttcher; 52 (v.l.n.r.) laif, Rauchensteiner, Schinner, 52/53 Stadler/SF; 54/55 Merten/SF, 55 o. Otto/SF, 55 u. Kloscher/SF; 56/57 Das Fotoarchiv, 57 u. Kiedrowski; 58 Schilgen, 58/59 Klaes/SF; 60/61 Schinner; 62 Bildarchiv Rheinland, 63 o. Cornee/Voigt, 63 u. Das Fotoarchiv; 64 o. SF, 64 u. Bieker, 65 Merten/SF; 66/67 SF, 67 Romeis; 68 (v.l.n.r.) Lange/SF, SF, Heine/SF, 68/69 Lange/SF; 70 Stadler/SF, 70/71 Lange/SF; 72 Wandmacher, 73 o. Bildarchiv Huber, 73 u. Wandmacher; 74 Otto/IFA-Bilderteam, 74/75 Lehmann/IFA-Bilderteam; 76/77 Stadler/SF, 77 Lange/SF; 78/79 Lange/SF; 80 Stadler/SF; 81 o. Otto, 81 u. AKG; 82 (v.l.n.r.) Bilderberg, Bilderberg, Berger/SF, 82/83 Böttcher; 84/85 Klaes, 85 TH-Foto Werbung; 86 Heine/SF, 87 o. Brockhaus/SF, 87 u. Heine/SF; 88 Rose/PhotoPress, 88/89 Stadler/SF; 90/91 Kottal/SF, 91 o. Heine/SF, 91 u. Stadler/SF; 92 Schilgen, 93 o. Wohner, 93 u. Hammel; 94 Monheim, 95 o. Goethe, 95 u. Schilgen; 96 Böttcher, 97 Monheim; 98 (v.l.n.r.) Dieth&Schröder, Dieth&Schröder, IFA-Bilderteam, 98/99 Krämer/IFA-Bilderteam; 100 Korall/SF, 100/101 Stadler/SF; 102 Klaes, 103 o. Bavaria, 103 u. Stadler/SF; 104 o. Rosing/SF, 104 u. Stadler/SF, 105 Korall/SF; 106 Stadler/SF, 106/107 Siebig/IFA-Bilderteam; 108/109 Heine/SF, 109 u. Schlorke/Stiftung Industrie-Kultur Völklingen; 110 Heine/SF, 111 o. Brosette/SF, 111 u. laenderpress; 112 (v.l.n.r.) Kiedrowski, Widmann, Bilderberg, 112/113 Schneider; 114/115 Otto/SF, 116 Otto/SF, 116/117 Stadler/SF; 118 o. Schilgen/SF, 118 u. Heine/SF, 119 Wackenhut/SF; 120/121 Stadler/SF, 121 Richner/SF; 122 Heine/SF, 123 o. Spiegelhalter, 123 u. Gerth; 124 o. Heine/SF, 124 u. Stadler/SF, 125 Kehrer/SF; 126 SF, 127 o. Kustos, 127 u. AKG; 128 (v.l.n.r.) Bauer/SF, Pfeiffer, Korall, 128/129 SF; 130/131 Hollweck/SF, 130 u. Stadler/SF, 131 u. Otto/SF; 132 Wackenhut, 132/133 Bildagentur Huber, 133 u. SF; 134/135 Wandmacher; 136 o. Korall, 136 u. Korall/SF; 136/137 Korall/SF; 138 Wolf/SF, 139 o. Bildagentur Huber, 139 u. Greune/Look; 140/141 Beck; 142 Mader, 143 Siepmann.

Umschlag

Neuschwanstein: Superbild Bildarchiv, Grünwald / München
Alle anderen Abbildungen siehe oben.

© 1999 RV Reise- und Verkehrsverlag im FALK VERLAG, Neumarkter Str. 43, 81673 München
Lizenzausgabe für Gondrom Verlag GmbH, Bindlach 1999
http://www.falk-online.de

Redaktion, Koordination
Christina Böde, München
Karola Pfennig, Falk Verlag, München
Raphaela Moczynski, München

Texte
Johannes Ebert, Lünen
Andreas Mäckler, München
Andreas Schmid, Lünen

Bildredaktion
Sabine Geese, Falk Verlag, München

Bildbeschaffung
Silvestris Fotoservice, Kastl

Covergestaltung
Studio Schübel, München

Buchgestaltung und Produktion
Hubertus Hepfinger, Freising

Reproduktion
Studio Europa, Trento

ISBN 3-8112-1685-6

DEUTSCHLAND

Von der Waterkant bis zum Alpenrand

Gondrom

Inhalt

Deutschland

Deutschland«, so steht in einem Konversationslexikon des Jahres 1875 geschrieben, »reicht vom westlichsten Punkt der preußischen Rheinprovinz beim Dorf Isenbruch im Regierungsbezirk Aachen bis zum östlichsten Ende der Provinz Preußen beim Dorf Schilleningken unweit Schirwindt an der Scheschuppe, und vom südlichsten Punkt am Ursprung der Stillach, eines Quellflusses der Iller, in den Allgäuer Alpen bis zum nördlichsten beim Dorf Nimmersatt nördlich von Memel.« Ein knappes Jahrhundert später gelten ganz andere Definitionen: »Deutsche Demokratische Republik, die 1949 geschaffene politische Organisation der Sowjetischen Besatzungszone Deutschlands, 107 897 Quadratkilometer einschließlich dem als Hauptstadt betrachteten Ost-Berlin« sowie »Bundesrepublik Deutschland, der 1949 durch Zusammenschluß west- und süddeutscher Länder für eine Übergangszeit errichtete Bundesstaat; vorläufige Hauptstadt ist Bonn«. Was viele Menschen in Ost und West nach vier Jahrzehnten der Trennung für unmöglich gehalten haben, ist am 9. November 1989 Wirklichkeit geworden: Die Mauer in Berlin wurde geöffnet und der Grenzzaun zur Bundesrepublik niedergerissen; die deutsche Einheit war wieder greifbare Wirklichkeit geworden. Deutschland heute ist ein Land voller Geschichte und Zukunftschancen in einer Zeit des Umbruchs. Die Wiedervereinigung konnte nicht schmerzlos verlaufen. Mit knapp 82 Millionen Einwohnern und einer Bevölkerungsdichte von 229 Menschen pro Quadratkilometer gehört

die Bundesrepublik Deutschland zu den am dichtesten besiedelten Ländern Europas. Die Belastungen in der Politik, Wirtschaft und Kultur sind groß, die Aufbaujahre der Wiedervereinigung noch nicht abgeschlossen.

Wer durch Deutschland reist, erlebt eine Vielfältigkeit der Eindrücke, die ihresgleichen sucht. Nicht nur die Unterschiede faszinieren: Küstenregionen im Norden, waldreiche Gebirgszüge in Mitteldeutschland und das Voralpenland. Auch die Menschen und ihre Traditionen vermitteln Liebe zur Heimat: in der Mundart, in der Pflege der Natur, den Dörfern und Städten, in all den kulturellen Kostbarkeiten vergangener Jahrhunderte, die über Generationen hinaus fortbestehen.

Besonders im Verborgenen blühen Schätze, die beachtlich sind: auf der Blumeninsel Mainau im Bodensee, in den Fachwerkstädtchen Hessens, in Thüringens Waldlandschaft, der Mecklenburgischen Seenplatte und im Wattenmeer. Das deutsche Kulturerbe auf Sehenswürdigkeiten zu reduzieren heißt, den Reichtum zu übersehen, der dieses Land einzigartig macht.

Grenzen verschwinden, das vereinigte Europa ist keine Utopie mehr. Immer wird es Individualitäten geben: Menschen und Orte, die ihre Eigenarten pflegen, ohne sich dem Neuen zu verschließen. Deutschland hat seinen Nachbarländern viel zu verdanken; die Einflüsse der Antike bis zur Gegenwart sind unübersehbar – in den Bauwerken, der Technologie, Sprache und Musik. Doch wie keine andere Nation Europas hat es dieses Land verstanden, verschiedenste Strömungen zu vereinigen, ohne seine Identität preiszugeben. Vieles ist unverwechselbar geblieben. Deutschland reizt jedesmal von neuem, entdeckt zu werden.

Der Dom, *unbestreitbar das Wahrzeichen von Köln, zählt zu den bedeutendsten gotischen Bauwerken Europas. 1248 erfolgte die Grundsteinlegung, der Bau zog sich über Jahrhunderte hinweg, erst 1842 wurden die beiden Türme errichtet. Der Erhalt der Bausubstanz wird auch kommende Generationen von Steinmetzen ein sicheres Auskommen garantieren.*

Die Havel bei Mögelin: *Zwischen Werder, Brandenburg und Rathenow mäandert die Havel durch ein breites Sumpfgebiet mit zahlreichen Kanälen, Gräben und Rinnsalen: das Havelländische Luch. Trotz Trockenlegung und Kanalisierung existiert in dieser Feuchtlandschaft noch immer eine Fülle wertvoller Ökosysteme und Biotope mit vielen heute in ihrem Bestand gefährdeten Pflanzen- und Tierarten.*

Im hohen Norden

Schleswig-Holstein, Hamburg und Mecklenburg-Vorpommern

Eine Redensart sagt, man brauche in Schleswig-Holstein nur ein Fahrrad, um die Sonne am Morgen aus dem Meer auftauchen und am Abend in einem anderen Meer untergehen zu sehen: Das Land zwischen den Meeren mißt an seiner schmalsten Stelle kaum mehr als fünfzig Kilometer. Nur wenige Gegenden Mitteleuropas sind so abwechslungsreich auf kleinstem Raum.

Die traditionellen Urlaubsorte an der Nord- und Ostseeküste – vor allem die Inseln Sylt und Fehmarn – haben nach der Wende ernsthafte Konkurrenz bekommen. Wer einmal auf Rügen war, wird wiederkommen – nicht nur der berühmten Kreidefelsen wegen. Weniger bekannt ist die Insel Eiderstedt im nordfriesischen

Wattenmeer (Abbildung rechts). Ein Paradies für Vogelfreunde, »Wasserratten« und Wanderer bietet die Mecklenburgische Seenplatte; weite Weiden, tausend kleine und kleinste Seen und tiefe Wälder mit »Hexenbuchen«, »Wundereichen« und »Spuktannen« laden zum Verweilen ein. Doch nicht nur die Naturschönheiten ziehen magisch an. Großsteingräber legen Zeugnis von einer steinzeitlichen Besiedelung ab, und im Mittelalter entstanden Burgen und Klöster. Mecklenburgische Fürsten und Herzöge hinterließen prachtvolle Schlösser und Parkanlagen.

Wer das turbulente Stadtleben liebt, läßt sich von der Freien und Hansestadt Hamburg begeistern, dem »Tor zur Welt«, das weit mehr Attraktionen bietet als Jungfernstieg und Reeperbahn, Überseebrücke, Staatsoper und HSV.

Blick auf die Hallig Langeneß.
*Das zehn Kilometer lange Eiland gehört
zu einer Inselgruppe im Wattenmeer, die
durch die großen Sturmfluten 1362 und
1643 entstanden ist. Die Bauernhöfe auf
den Halligen liegen auf sogenannten
Wurten, die bei stürmischer See Schutz vor
dem »blanken Hans« bieten.*

Wanderungen auf Amrum:
*Unterwegs am Kniepsand können Aus-
flügler die ganze Idylle nordfriesischer
Inseln genießen und sich die Seeluft um die
Nase wehen lassen. Der gut zehn Kilometer
lange Kniepsand ist eigentlich eine der
Insel vorgelagerte Sandbank. Wer auch das
übrige Amrum entdecken will, sollte die
Dünen- und Heidelandschaft erkunden.*

Auf der »grünen« Insel Föhr
*spürt der Besucher die friesischen Wurzeln.
Hier geht das Leben noch gemächlich zu,
kann der friesische Bauer noch im Einklang
mit der Natur die Felder bestellen. Fernab
des kommerziellen Ferientrubels hat sich
die kleine Insel hoch im Norden einen ganz
eigenen Charme bewahrt.*

▲**Flensburger Hafen:** *Vor der stimmungsvollen Silhouette der Stadt schaukeln traditionelle Fischerboote und edle Segeljachten im Hafen. Die gemütliche Atmosphäre Flensburgs überrascht all jene, die mit Deutschlands nördlichster Stadt bisher nur die Verkehrssünderdatei in Verbindung brachten. Sorgfältig restaurierte historische Häuserfassaden versetzen den Besucher zurück in jene Zeit, als Flensburg eine bedeutende Handelsstadt war und Handelsschiffe Waren aus aller Welt in den Hafen brachten. Noch heute zählen die Kaufmannshöfe, die zwischen Haus und Warenlager der Kaufleute lagen, zu den Attraktionen der Stadt.*

Ein faszinierendes Zusammenspiel *von Wasser und Land macht diese Gegend so einmalig. Die in eine zauberhafte Hügellandschaft eingebetteten Seen verhalfen der Holsteinischen Schweiz zu ihrem alpinen Beinamen. Ein findiger Hotelier warb 1867 mit dem Slogan »Gremsmühlen – die Schweiz Holsteins« für sein Haus, weil Ferien in der Schweiz damals sehr beliebt waren. Die Namensgebung war perfekt, als 1885 ein Kollege die Begriffe tauschte und sein Haus am Kellersee »Hotel Holsteinische Schweiz« nannte. Inzwischen verfügt Deutschland über mehr als 60 von den Eidgenossen anerkannte »Schweizen«.*

Last- und Kriegsschiff des Mittelalters
Die Hansekogge

Im Mittelalter gehörte die Kogge zu den wichtigsten Schiffstypen der Deutschen Hanse. Das zu seiner Zeit bedeutendste Segelschiff war breit und bauchig und aus Holz gebaut, hin und wieder diente es auch als Kriegsschiff. Es verfügte über ein großes Rahsegel, konnte aber auch mittels Muskelkraft über Ruder angetrieben werden.

▶ **Die Marienkirche von Rostock** *erhebt sich mächtig über den Dächern der Altstadt. Die detailgetreu restaurierten Fassaden und Giebel der Altstadthäuser lassen vergangene Jahrhunderte lebendig werden, insbesondere die große Zeit der Hanse. Dabei standen nur wenige der Häuser schon damals an ihrem heutigen Platz. Im Zuge der Restaurierung wurden zahlreiche Häuser innerhalb Rostocks umgesetzt oder nach alten Plänen komplett neu aufgebaut. In der Stadt befinden sich einige der letzten Hausbaumhäuser, die um einen stützenden Mast herum errichtet wurden. Jedes Jahr im August lädt die Stadt zu den Hafentagen ein, mit viel Unterhaltung zu Wasser und zu Land – nicht nur in der Altstadt. Der riesige Backsteinbau der Marienkirche birgt eine besondere Attraktion: Eine astronomische Uhr von 1472, mit der man noch bis zum Jahr 2017 rechnen kann. Bei Führungen wird ausführlich erklärt, wie der 500 Jahre alte Zeitmesser funktioniert.*

▼ **Wasser, Wind, Sonne** *modellieren auf der Insel Rügen seit Jahrhunderten ein bizarres Kunstwerk: die Wissower Klinken (folgende Doppelseite). Zacken, Zinnen und Kegel hat die Erosion in den weißen Kreidefels gefräst und noch ist das Werk nicht vollendet. Unmerklich schreiten die Veränderungen im Fels voran.*

▲**CONCORDIA DOMI FORIS PAX** – »Eintracht drinnen, Frieden draußen«, mit diesem Spruch begrüßt das Lübecker Holstentor, das 1464–78 als Teil der Befestigungsanlage der Hansestadt errichtet worden war, den Besucher. Längst ist das Symbol einstiger Macht zum Wahrzeichen der Stadt geworden. Dabei wäre sein Schicksal um Haaresbreite im Jahr 1863 besiegelt worden. Damals stimmte die Lübecker Bürgerschaft über Erhalt oder Abbruch des Tores ab. Das Dach mußte erneuert werden und manchem Ratsherrn war das zu teuer. Mit der Mehrheit von lediglich einer Stimme wurde der Erhalt des Bauwerks beschlossen.

In Lübeck geboren
Thomas Mann

Einer der bekanntesten Söhne der Hansestadt ist der Schriftsteller Thomas Mann. Ohne Berufsausbildung lebte der jüngere Bruder von Heinrich Mann zunächst vom Verkaufserlös der väterlichen Getreidefirma. Schon früh erlangte der Nobelpreisträger (1929) Berühmtheit mit dem Familienroman »Die Buddenbrooks« (1901) und der Erzählung »Tonio Kröger« (1903).

Blick von der Lombards-brücke, *die über den Zufluß zwischen Binnenalster und Außenalster führt. Rund um die Binnenalster pulsiert das Leben der Metropole. Direkt am Jungfernstieg zieht das Einkaufsparadies Alsterhaus jeden Tag die Besucher an. Cafés laden unter den Alsterarkaden »mit Blick auf das mächtige Rathaus« zur gemütlichen Pause ein. Seit rund 150 Jahren residiert die Hamburger Finanzwelt an der Börse am Adolphsplatz.*

Wer in die Hansestadt kommt, *muß auch dem traditionellen Fischmarkt auf St. Pauli einen Besuch abstatten. Hier treffen sich zu morgendlicher Stunde Frühaufsteher oder Kneipengänger, die die Nacht zum Tag gemacht haben. Fisch-händler, die ihre Ware lautstark und ge-stenreich anpreisen, sind heute auf dem Traditionsmarkt in der Minderheit. Obst-verkäufer und andere locken die Besucher an ihre Stände und machen den Fisch-markt zu einem bunten Ereignis.*

St. Pauli-Landungsbrücken:
Neben den prächtigen Schiffen und massigen Werftanlagen sind sie der Blickfang am Hamburger Hafen. Anfang des Jahr- *hunderts wurde das Jugendstilgebäude mit seinen kupfernen Kuppeln für den beginnenden Passagierverkehr nach Übersee errichtet. Heute starten von hier die Schiffe zur Rundfahrt im Hamburger Hafen. Direkt an den Landungsbrücken konnten die Autofahrer ab 1911 per Aufzug in* *den von Kaiser Wilhelm II. eröffneten Elbtunnel gelangen, der lange Jahre die wichtigste Verkehrsverbindung zwischen den beiden Elbufern war.*

Zwischen Watt und Heide

Niedersachsen und Bremen

Niedersachsen gilt vor allem als Bauernland. Das ist es wohl auch, trotz der Hochöfen in Salzgitter, der Autoindustrie in Wolfsburg und der Fischindustrie in Cuxhaven. Seine Anziehungskraft liegt in der Vielfalt der Landschaftsbilder. Das Wattenmeer (Abbildung rechts: Windmühle in Neuharlingersiel), die Lüneburger Heide und die Schluchten des Harzes mit bizarren Verwitterungsbildern wechseln sich ab mit reichen Äckern und saftigen Weiden, unterbrochen von ausgedehnten Laubwäldern. Das Vorgebirge zieht sich wie ein breiter Saum von Osten nach Westen, hier finden sich bedeutende Städte wie Braunschweig, Celle, Hildesheim, Hameln und Osnabrück. Niedersachsens Hauptstadt Hannover,

Gastgeberin der EXPO 2000 sowie der alljährlichen CeBIT, ist mehr als nur ein internationaler Messeplatz. Die »Großstadt im Grünen« hat viel Freizeitwert zu bieten: Wiesen, Parks und Wälder reichen weit ins Herz der Stadt hinein. Berühmt sind die Herrenhäuser Gärten.

Als kleinstes Bundesland der Bundesrepublik umfaßt Bremen nur 404 Quadratkilometer. Schon in alten Zeiten war die Hansestadt ein lockendes Ziel für viele von nah und fern, nicht nur für die »Bremer Stadtmusikanten«, die in der Kaufmannsstadt ein besseres Leben führen wollten als das, was sie in ihrer Heimat im Weserbergland zu erwarten hatten. Den Ton in Bremens Wirtschaft geben maritim ausgerichtete Branchen an: Schiffbau, Reedereien, Fischwirtschaft, Außenhandel und die Verarbeitung von Importprodukten.

Ostfriesische Idylle: *Der Gulhof bei Großefehn liegt direkt an einem der zahlreichen Kanäle, die diese Landschaft kennzeichnen. Holländisch muten nicht nur die vielen Klappbrücken an, die die einstigen Schiffahrtswege überspannen, sondern auch die Schleusen und die Windmühlen, die zum Landschaftsbild gehören. Und die Nähe zu Holland drückt sich auch in der Übernahme der Bezeichnung Fehn aus, die in vielen Ortsnamen zu finden ist. Fehn bedeutet Moor. Seit dem 17. Jahr-hundert wird das Moor in Ostfriesland kultiviert. Um dem feuchten Moor das Wasser zu entziehen, wurden Schiffahrtskanäle mit Seitenarmen angelegt. Der übrigbleibende Schwarztorf wurde gestochen und abtransportiert. Nach und nach entstanden die Fehnkolonien. Ihre Bewohner wurden Fehntjer genannt. Sie waren es, die zunächst die Kanäle befuhren, später dann auch die Weltmeere: Es soll ein Ostfriese gewesen sein, der Kap Horn als erster deutscher Kapitän umsegelte.*

Die ehemalige Häuptlings-burg *von Bunde, Bunderhee, beherbergt heute die Norddeutsche Orgelakademie. Das Grenzstädtchen Bunde blickt auf eine wechselvolle Geschichte zurück. Das Schiff in seinem Wappen zeugt von der Zeit, in der Bunde direkt am Meer lag. Als die Nordsee das Land überflutete, bildete sich 1277 der Dollart, eine weite Bucht südlich von Emden. Die zu Deichen aufgeschütteten Erdwälle konnten die Wassermassen nicht aufhalten. Als der Dollart 1509 seine größte Ausdehnung erreichte, waren den Fluten 30 Ortschaften zum Opfer gefallen. Um 1600 begannen die Holländer, etwas später auch die Deutschen, mit der Rückgewinnung des Landes durch Einpolderung. Ortsbezeichnungen wie Heinitzpolder stehen für die mühselige Landgewinnung auf der Dollarthalbinsel, deren Landschaft nun weit und flach, rauh und einsam anmutet.*

Der Bremer Marktplatz *mit dem ehrwürdigen Rathaus und dem mächtigen Dom ist das Zentrum der alten Hansestadt. Elemente der verschiedenen Stilrichtungen von der Hochromantik bis zu Spätgotik sind während des 1042 begonnenen Dombaus berücksichtigt worden. Berühmt ist das beinahe 90 Meter lange Dominnere wegen seiner herausragenden Akustik. Das Anfang des 15. Jahrhunderts errichtete Rathaus ist mit großen Sandsteinfiguren Karls des Großen und der sieben Kurfürsten geschmückt. Weinkenner schätzen auch heute noch das umfangreiche Weinsortiment des Ratskellers.*

In den Königlichen Gärten Herrenhausen *wurde in 300 Jahren Gartenkunst und Gartenarchitektur perfektioniert. Im Großen Garten, im Berggarten und im Georgengarten erfreuen sich die Besucher jedes Jahr an den liebevoll und meisterhaft gehegten Anlagen. Ob im Stil der Renaissance oder des Barock, ob Ziergärten oder kunstvoll geschnit-*

tene Hecken, ob einmalige Orchideensammlung oder romantische Gartenkunst englischer Landschaftsparks – die Vielfalt der Herrenhäuser Gärten und ihre meisterliche Präsentation schlagen alle Besucher Hannovers in den Bann.

Maler im Moor
Worpswede

Im »Haus im Schluh« scheint die Zeit stehen geblieben zu sein. In zwei alten Bauernhäusern im Künstlerort Worpswede wird der Nachlaß des Jugendstilkünstlers Heinrich Vogeler (1872–1942) gehütet. Der Graphiker, Maler und Kunsthandwerker lebte von 1883 bis 1932 in der Gemeinde im Teufelsmoor.

500 Fachwerkhäuser *prägen die rechtwinklig angelegte Altstadt von Celle. Die abgebildete Häuserzeile liegt an der Stechbahn, im Mittelalter Turnierplatz der Stadt, auf dem sich edle Ritter maßen. Täglich bewundern eine halbe Million Gäste die Sehenswürdigkeiten von Celle, das zu den schönsten Städten Norddeutschlands zählt. Nicht nur die Altstadt ist touristischer Blickfang, auch Norddeutschlands älteste Synagoge »Im Kreise« und der historische Pranger gleich neben dem Rathaus sind hier zu sehen. Die neue Bemalung, die der Pranger in den 80er Jahren unseres Jahrhunderts erhielt, traf in der Stadt nicht nur auf Zustimmung. Auch das von Renaissance und Barock geprägte Schloß von Celle lohnt einen Besuch. In der Nachfolge von Lüneburg war Celle zwischen 1378 und 1705 Residenz des Fürstentums Lüneburg. Der schönste Raum des Schlosses ist unzweifelhaft die Kapelle aus dem 15. Jahrhundert, die einzige vollständig erhaltene frühprotestantische Schloßkapelle Deutschlands.*

Tief herabgezogene Reetdächer *sind typisch für die Schafställe der Lüneburger Heide. Auch heute noch halten die Heidschnucken hier und da die Heide kurz und verhindern Verbuschung und Bewaldung der Heidelandschaft. Die kleine Schafrasse stammt vom europäischen Wildschaf, dem Mufflon, ab. Kurz nach der Geburt sind die Tiere schwarz, nach der ersten Schur bleiben nur Kopf und Füße dunkel. Die Wolle der Heidschnucken hat kaum einen Wert, sie wird überwiegend zur Teppichherstellung verwendet.*

▲ **Deutschlands größtes Frei-
lichtmuseum** *lockt alljährlich neu-
gierige Besucher nach Detmold. Auf
80 Hektar sind aus ganz Westfalen
90 komplett eingerichtete historische
Handwerker- und Bauernhöfe, Wind-
und Wassermühlen, eine Töpferei, eine
Schmiede und eine Bäckerei zusammenge-
tragen worden. Kleine Heuerlingshäuser
scharen sich um einen großzügig angelegten
Gräftenhof und den feudalen Schönhof, der
typisch für ein Paderborner Dorf ist.*

▼ **Inmitten herrlicher Parkanlagen** *liegt Schloß Bückeburg, ein
kostbar ausgestatteter Prachtbau der späten
Weserrenaissance. Das beliebte Ausflugsziel zählt zu den bedeutendsten Baudenk-
mälern im Norden Deutschlands. Das
Schloß erhielt über einen Zeitraum von
mehreren hundert Jahren sein heutiges
Aussehen. Die größte Prachtentfaltung
erlebte es unter Fürst Ernst III. von
Schaumburg, der das Schloß Anfang des
17. Jahrhunderts zur Residenz erhob.*

▼ **Die bizarren Externsteine**
*in Holzhausen bei Horn, südlich von
Detmold, sind Ziel vieler Wanderungen.
Die 13 Sandsteinfelsen ragen bis zu
37 Meter in den Himmel des Teutoburger
Waldes. Im 12. Jahrhundert entstand hier
eine christliche Kultstätte mit einem in den
Fels gehauenen Relief der Kreuzabnahme,
zwei Kapellen und einer Nachbildung des
heiligen Grabes in Jerusalem. Ursprünglich
war der Ort wohl eine germanische Kultstätte, ehe er 1093 vom Paderborner Bene-
diktinerkloster Abdinghof erworben wurde.*

Kunstvoll restauriertes Fachwerk, *eine opulente Architektur und farbenfrohe Malereien machen das Rathaus zu Schwalenberg im Lipper Land zu einem Juwel der Weserrenaissance. Fachwerk gibt es in Schwalenberg reichlich zu bestaunen. Das Städtchen ist reizvoll auf einer Terrasse des Burgbergs gelegen und bietet einen weiten Rundblick. Eine eigene Geschichte hat der gemauerte Volkwinbrunnen, in den das Schwalenberger Stadtwasser mündet. Der Legende nach leiteten zwei Häftlinge das Wasser einer Quelle am Mörth durch einen Kanal in die Stadt und erkauften sich damit ihre Freiheit. Ein Spazierweg führt heute vom Volkwinbrunnen den Wassergraben entlang, über den Nordhang des Burgbergs und am Forsthaus vorbei zur Magdalenenquelle.*

Ein idyllisches Bild *bietet die sanft mäandrierende Weser bei Steinmühlen. Auf kleinen Ausflugsdampfern genießen Urlauber – fernab der Großstadthektik – die herrliche Landschaft mit ihren schmucken Dörfern und den bewaldeten Höhen des angrenzenden Berglandes. Beliebt ist die Weser auch bei Kajak-*

freunden, die im Sommer oft in größeren Gruppen flußabwärts paddeln. Für Radwanderer ist die Weser ein ideales Ausflugsziel. Die schönste Strecke führt immer am Fluß entlang – bis zur Nordsee.

Wiege von Märchen und Sagen
Das Weserbergland

Der berühmt-berüchtigte Rattenfänger, der einst die Kinder aus der Stadt Hameln entführte, ist nur eine von vielen Märchengestalten des Weserberglands. Neben ihm begegnet der Besucher Doktor Eisenbart, dem Lügenbaron von Münchhausen, der Schneeflocken ausschüttelnden Frau Holle und dem Sachsenherzog Wittekind. Im Weserbergland sind die alten Geschichten noch heute sehr lebendig.

An Havel, Spree und Oder

Brandenburg und Berlin

Wiese, Wasser, Sand, das ist des Märkers Land, und die grüne Heide, das ist seine Freude.« In diesem Spruch sind alle Eigenarten der Landschaft in der Mark Brandenburg, oft kurz »die Mark« genannt, zusammengefaßt. Das wundersame, manchmal bizarre Gebiet, das sich von Elbe und Havel im Westen bis hin zu Oder und Neiße im Osten erstreckt, wurde einst des »Heiligen Römischen Reiches Streusandbüchse« genannt, denn der Sand hat Konturen geschaffen, die Brandenburg unverwechselbar prägen. Wer das Land entdecken will, nimmt am besten die »Wanderungen durch die Mark Brandenburg« des brandenburgischen Dichters Theodor Fontane zur Hand.

Preußens Gloria im Kaiserreich, Zerstörung und Elend im Zweiten Weltkrieg, danach Teilung, Insellage und Mauer – das sind Schlagworte, die Berlins jüngste Geschichte charakterisieren. Seit dem 3. Oktober 1990 Hauptstadt des wiedervereinigten Deutschlands, haben Reiseleiter aus Ost- und Westberlin heute Schwierigkeiten, den vielen Besuchern eines der prägendsten Bauwerke der Berliner Nachkriegszeit zu erklären: Die Mauer, die die Stadt 28 Jahre lang in Ost- und Westberlin teilte, ist nicht mehr da.

Geblieben sind die großen Werke der Kulturgeschichte – Schloß Sanssouci und Schloß Charlottenburg –, und das Lebensgefühl einer Stadt, die wie keine andere den Aufbruch ins 21. Jahrhundert symbolisiert. (Abbildung rechts: Blick vom Europa-Center auf die Gedächtniskirche.)

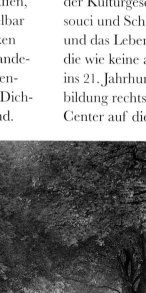

Schloß Charlottenburg *ist eines
der geschichtsträchtigsten und attraktivsten
Baudenkmäler der heutigen Hauptstadt
Berlin. 100 Jahre wurde an der Barockre-
sidenz gebaut, die Kurfürst Friedrich III.
1695 in Auftrag gab. 1712 erhielt das
ursprünglich als Lustschlößchen geplante
Sommerschloß für Kurfürstin Sophie
Charlotte die prachtvolle 48 Meter hohe
Kuppel. Als Friedrich sich selbst zum
König krönte, wurde Schloß Charlottenburg um den Ostflügel erweitert
(1740–43). 1788–90 folgte schließlich
der Anbau des Schloßtheaters. Schloß
Charlottenburg wurde zum Musterbei-
spiel höfischer Barockarchitektur in Berlin
und zählt noch heute zu den schönsten
Residenzen der Stadt.*

Die Landungsbrücken *an der
Südspitze des Großen Wannsees sind Aus-
gangspunkt für Dampferfahrten. Daß hier
auch gebadet werden kann, ist spätestens
bekannt, seitdem Conny Froboess trällerte:
»Pack die Badehose ein, nimm dein kleines
Schwesterlein, und dann nichts wie raus
zum Wannsee...«. Am südlichsten Aus-
läufer des Grunewalds, dort, wo die
Unterhavel sich spreizt wie ein Pfau und
zum Großen Wannsee wird, lädt denn
auch der längste Seebadestrand Europas,
1275 Meter lang und 80 Meter breit,
zum Verweilen ein.*

Fantasy made in Germany:
*1983 verfilmte Wolfgang Petersen hier »Die
unendliche Geschichte III« nach dem Er-
folgsroman von Michael Ende. Filmpro-
duktion hat in Deutschland Tradition. In
Berlin-Babelsberg schrieb die Ufa, später
die DEFA Filmgeschichte. Auf dem*

*432 000 Quadratkilometer großen Gelände
mit zehn Ateliers, 30 Schneideräumen,
Kopierwerk und zahlreichen Studiohallen
weht der Hauch von 80 Jahren deutscher
Filmgeschichte. In Babelsberg drehte Fritz
Lang und feierte Marlene Dietrich im
»Blauen Engel« ihren Durchbruch.*

»Garten Berlins« *wird die Stadt Werder, ehemals eine Insel in der Havel, genannt. Die Wahrzeichen des idyllischen Ortes sind die neugotische Heilig-Geist-Kirche und die Bockwindmühle. Erst seit dem 18. Jahrhundert ist die ehemalige Fischereisiedlung Werder mit dem Festland verbunden. Seit dem Mittelalter bauen die Menschen hier Obst an und versorgen unter anderem die Metropole Berlin. Am schönsten ist es zur Zeit der Obstbaumblüte, wenn ganz Werder in weißer und rosa Pracht erstrahlt.*

Prächtige Fassaden *in der Kurstraße von Brandenburg künden von der früheren Bedeutung der Stadt. Stolze Kirchenbauten im unverwechselbaren Stil der Backsteingotik dominieren die von Seen und Kanälen dreigeteilte Ortschaft. Sie zeugen von einer Zeit, in der Brandenburg als älteste der Mark einen bedeutenden Handelsstützpunkt der Hanse bildete. Zahlreiche Prachtbauten dominieren noch heute große Teile der Stadt. Noch bedeutender als Katharinen- und Gotthardtkirche, beides spätgotische Hallenbauten, ist der Dom St. Peter und St. Paul.*

»Sans Souci« – »Ohne Sorge«
wollte Friedrich II. auf seinem Schlöß-
chen in Potsdam sein, das er 1744 selbst
entwarf und das von Georg Wenzeslaus
von Knobelsdorff, einem der bedeutendsten
Baumeister seiner Zeit, realisiert wurde.
Heitere Anmut strahlen daher Schloß-
garten und die mit zwölf Zimmern ver-
gleichsweise bescheidene Residenz aus.
Hier traf Friedrich sich in zwangloser
Atmosphäre mit Freunden, Künstlern und
Philosophen. »Sanssouci ist die geschlossene Schöpfung Friedrichs, ein Gedicht,
ein Märchen, und in der Verbindung
des Nützlichen mit dem Schönen der
rundeste Ausdruck seines Wesens«, schrieb
der Kunsthistoriker Alfred Lichtwark
(1852–1914) über Schloß und Park
Friedrichs des Großen. Heute ist die jähr-
liche Besucherzahl auf 400 000 be-
grenzt, um das Potsdamer Kleinod nicht
überzustrapazieren.

Mitten im raffiniert angelegten Schloßpark von Sanssouci, *in dem Feigen, Aprikosen und Trauben auf dem ansonsten eher kargen märkischen Boden gedeihen, erstrahlt das Chinesische Teehaus im wahrsten Sinne des Wortes. Geradezu verschwenderisch wurde es mit Gold ausgestattet und dekoriert. Es spiegelt freilich eher die Rokokobauten seiner Zeit wider als die Architektur aus dem fernen Reich der Mitte.*

Ein Geschenk für Deutschland
»Wrapped Reichstag«

Der Künstler Christo und seine Frau Jeanne-Claude verhüllten 1995 das im 19. Jahrhundert erbaute Berliner Reichstagsgebäude mit 100 000 Quadratmetern silbern schimmerndem Stoff. Christo konnte damit 24 Jahre nach seinem ersten Vorschlag zur Reichstagsverhüllung dieses Projekt verwirklichen.

Beim jährlichen Kahnkorso der Bauern von Lehde im Spreewald bevölkern buntgeschmückte Boote die Wasserwege des Spreewalds. Das riesige Binnendelta, das Spree, Malxe und Berste hier bilden, weckt Erinnerungen an Venedig. Auf schier endlosen Wasserwegen kann der Besucher lautlos dahingleitend die Schönheiten dieser einmaligen Landschaft genießen. Fortbewegungsmittel ist naturgemäß das Boot. Während die Siedler, die sich hier seit dem 6. Jahrhundert niederließen, zunächst das Einbaumboot benutzten, werden inzwischen größere Kähne bevorzugt, die der Fahrer vom Heck aus mit einem sogenannten Rudel vorwärtsstakt. Auch dies mutet durchaus venezianisch an. Da die Besucher diese Art der Fortbewegung attraktiv fanden, organisierte der Lübbenauer Lehrer Paul Fahlisch schon Ende des 19. Jahrhunderts Gesellschaftsfahrten im Spreewald. Wer die Einsamkeit sucht, sollte sich lieber zu einer romantischen Mondscheinfahrt aufmachen.

Die Grabpyramide *des Fürsten August Heinrich von Pückler-Muskau, die er nach dem Tode seiner Frau 1852 im Branitzer Park südlich von Cottbus zu bauen begann und in der er später selbst beigesetzt wurde, zählt zu den Attraktionen dieser paradiesisch grünen Insel. Der Fürst hatte die karge Landschaft nach dem Verkauf seines Muskauer Schlosses und dem Umzug nach Branitz in eine blühende Oase verwandelt. Er ließ Seen anlegen, pflanzte an die 100 000 Bäume und Sträucher und beschäftigte zeitweise 70 Gärtner zur Pflege des Branitzer Parks.*

Lebendige Tradition
Die Sorben im Spreewald

Die ersten Siedler, die sich im Spreewald niederließen, waren Sorben. Die Angehörigen des westslawischen Volkes flohen vor deutschen Burgherren. Im Spreewald lebten sie vom Fischfang und dem Ertrag ihrer Gärten. Sie wurden bekannt für Produkte wie Gurken, Meerrettich, Zwiebeln und Hanf, aus dem Leinöl gewonnen wurde. Pellkartoffeln mit Quark und Leinöl ist ein traditionelles Spreewaldgericht.

Schloß Rheinsberg am Grienericksee *ist ein Prachtexemplar des Spätbarock. Auch von innen erstrahlt es in vollem Glanz: Die Türen sind mit Goldreliefs versehen, die Festsäle mit Deckenmalereien von Antoine Pesne. Kurt Tucholsky verewigte Schloß und Park in seiner 1912 geschriebenen Erzählung »Rheinsberg«. Der Park und die Schloßinseln bilden eine zauberhafte Kulisse für Aufführungen der Kammeroper Schloß Rheinsberg. Überwiegend klassisches Liedgut bringt das alljährliche Opernfestival der Musikakademie Rheinsberg zu Gehör.*

Die Tradition *wird im brandenburgischen Geltow gepflegt. In diesem idyllisch gelegenen Häuschen, umrahmt von herrlichen Blumengärten, erinnert ein Handwebereimuseum an die alte Kunst der Textilherstellung. Im Laufe der Jahrhunderte wurde die Handweberei auch in der Gegend rund um Berlin von der mehr und mehr automatisierten Fabrikation verdrängt. Über die Vorzüge des kleinen Geltow, vor allem die dortige heimische Küche, berichtete auch schon der Dichter Theodor Fontane entzückt.*

Heinrich der Erlauchte, Markgraf von Meißen, gründete 1268 das Zisterzienserkloster Neuzelle an der Neißemündung. Nach der Reformation blieb es unter böhmischer Herrschaft und damit katholisch. Kraft und Ehrgeiz der Gegenreformation drücken sich nicht zuletzt in der prächtigen Barockausstattung der gotischen Klosterkirche aus, die sie zum Barockwunder der Mark werden ließ.

Mit nur zwei Elektromotoren überwindet das Schiffshebewerk in Niederfinow, das 1934 eingeweiht wurde, die 36 Meter Höhenunterschied zwischen Oder und Havel. Kernstück der Anlage ist ein 84 000 Zentner schwerer Schiffs-»Fahrstuhl« mit einer Fläche von 88 x 16 Meter.

Kloster Chorin bauten um 1280 Zisterziensermönche aus dem Kloster Lehnin. Die Bauarbeiten am Kloster in der Uckermark dauerten über 50 Jahre. Es entstand ein wunderschöner Backsteinbau mit romanischen und gotischen Elementen, der Vorbild für Kirchen- und Klosterneubauten im ganzen norddeutschen Raum wurde. Nach der Reformation drohte den Bauten der Verfall. Erst im 19. Jahrhundert entdeckte der Baumeister Karl Friedrich Schinkel (1781–1841) das Gebäude wieder und renovierte es. Den Klostergarten verwandelte der Gartenbauer Peter Josef Lenné (1789–1866), der ab 1844 Generaldirektor der königlichen Gärten in Preußen war, in einen zauberhaften Park.

Um Rhein und Ruhr

Nordrhein-Westfalen

Der Heraldiker, der das Wappen des Landes Nordrhein-Westfalen entwarf, hat seine Aufgabe sehr sinnfällig gelöst: Auf der linken Seite fließt der Rhein, rechts bäumt sich das Westfalenroß, und in der Wappenspitze blüht die lippische Rose. Seine Arbeit dürfte in das Jahr 1946 fallen – damals wurde das Land ins Leben gerufen. Im Norden der früheren preußischen Rheinprovinz befinden sich die Regierungsbezirke Düsseldorf, Köln und Aachen; Bonn, die ehemalige Hauptstadt der Bundesrepublik, bereitet sich nun auf eine ruhigere Zukunft vor.

Landschaftlich reizvolle Landstriche und idyllische Fachwerkstädtchen (Abbildung rechts: Freudenberg)

grenzen unmittelbar an graue und uniforme Industrieregionen, hinter weitläufigen Fabrikanlagen erstreckt sich unvermutet fruchtbares Bauernland. Mit siebzehn Millionen Einwohnern ist Nordrhein-Westfalen das bevölkerungsreichste Bundesland in Deutschland, das eine Vielzahl weiterer Superlative zu bieten hat: Der größte Kanalhafen Europas befindet sich in Duisburg-Ruhrort; nirgendwo gibt es auf engem Raum so viele Talsperren, insgesamt sechzig; nirgendwo in Europa zählt man so viele Wasserschlösser innerhalb einer Region wie im Münsterland.

Während in der Industrielandschaft zwischen Ruhr und Lippe bemerkenswerte Ausflugsziele eher im Verborgenen gesucht werden müssen, begegnet man in der Parklandschaft des Münsterlandes reizvollen Naherholungszielen auf Schritt und Tritt.

Die Uferpromenade *mit Ausflugsschiffen, Altstadt und Kölner Dom ist ein beliebtes Touristenziel in der Metropole am Rhein. Die »weiße Flotte« lädt zu herrlichen Fahrten auf dem »Vater Rhein« ein, während die Altstadt mit ihren gemütlichen Kneipen am Alten Markt die Nachtschwärmer anzieht. Neben dem Dom ist die romanische Kirche Groß St. Martin ein weiteres markantes Wahrzeichen der Rheinuferpromenade. Erst vor wenigen Jahren wurde die schwer kriegszerstörte ehemalige Benediktinerabteikirche vollständig restauriert. Keine andere Stadt nördlich der Alpen hat so viele, insgesamt zwölf, romanische Kirchen vorzuweisen.*

Fast maritimes Flair *hat die Rheinpromenade in Düsseldorf vor der Kulisse von Lambertuskirche und Schloßturm. Nicht selten endet ein Bummel über die bei Fußgängern und Inline-Skatern gleichermaßen beliebte Uferstraße mit einem Besuch in der gleich dahinter liegenden Altstadt Düsseldorfs, bekanntermaßen die »längste Theke der Welt«.*

Die tollen Tage am Rhein
Alaaf und Helau

Düsseldorf und Köln sind die Hochburgen des rheinischen Karnevals. Alljährlich ist die gewohnte Ordnung zwischen Altweiberfastnacht und Aschermittwoch für fast eine ganze Woche außer Kraft gesetzt. Man singt, schunkelt und tanzt. Eine farbenprächtige Kostümierung ist nahezu Ehrensache und Pflicht in diesen Tagen.

◢ Die Rheinauen bei Bislich:

Einst waren hier Inseln durch kleine Seitenarme und zahlreiche Nebenflüsse vom Rhein abgetrennt. Der Fluß verlief damals keineswegs so geradlinig wie heute. Auch die Rheinauen bei Bislich lassen nicht darauf schließen, daß hier einmal der Mensch Hand angelegt hat. Vor etwa 400 Jahren begann der Große Kurfürst mit der Begradigung des Rheins. Deiche wurden errichtet, Seitenarme vom Fluß abgetrennt, die Inseln mit dem Festland verbunden: Es entstand eine ganz besondere, wunderschöne, ruhige Landschaft, »die Rheinauen«. Heute sind sie ökologisch wichtige Rückhalteräume für die Fluten des (fast) alljährlich auftretenden Rheinhochwassers und helfen zu verhindern, daß der Rhein der Kölner Altstadt und den Rheinanwohnern einen Besuch abstattet und die holländischen Nachbarn nasse Füße bekommen.

Ein gewaltiger Imagewandel
*steht der einstigen Kernkraftanlage Kalkar
bevor. Nachdem der »Schnelle Brüter«
Ende der 70er Jahre bis zur Einstellung
des Betriebs 1991 nahezu ständig
Negativschlagzeilen machte, will ein nie-
derländischer Unternehmer die Kern-
kraftruine bis 2003 in einen Freizeit-
und Erlebnispark umwandeln. Tennis-
und Squashplätze, eine Go-Kart-Bahn
und Freeclimbing-Möglichkeiten am
Kühlturm des Atomkraftwerks sind nur
einige der Attraktionen des »Kernwasser-
Wunderlands«.*

Mittelalter und Moderne *liegen auf dem Abteiberg in Mönchengladbach nahe beisammen: Nur wenige Schritte vom Münster entfernt reckt sich ein Museumsbau in die Höhe, der schon bei seiner Eröffnung 1982 für Aufsehen sorgte.*

»Schwimmende Gärten« *umgeben Schloß Anholt in Isselburg. Das inmitten eines Landschaftsparks liegende Barockschloß ist auf künstlichen Inseln errichtet. Haupt- und Vorburg sind durch Brücken malerisch miteinander verbunden.*

Duisburg kompakt: *Rhein, Hüttenwerk, Kühltürme – jahrzehntelang standen allein sie für das Image der sympathischen Stadt am Westrand des Ruhrgebiets. Mittlerweile hat sich die pulsierende Metropole gewandelt. Auf industriellen Brachen entstanden Landschaftsparks und Freizeitzentren, aus Einkaufsstraßen wurden freundliche Dienstleistungszentren. Stahl und der größte Binnenhafen der Welt mit einem ausgedehnten Freihafen bleiben aber auch weiterhin wichtige Stützen in Duisburg.*

Kohle und Stahl – *die beiden Begriffe sind untrennbar mit dem Ruhrgebiet verbunden. Obwohl sich das Ruhrgebiet infolge der Konkurrenz aus dem Ausland umorientieren muß und einen tiefgreifenden Strukturwandel durchmacht, steht es zu dieser Vergangenheit. Die alten Förderanlagen – wie hier der Förderturm der Zeche Zollverein in Essen – werden nicht einfach abgerissen, sondern als Zeugnisse einer zu Ende gehenden Epoche bewahrt. Vor dieser Kulisse entstanden und entstehen moderne Dienstleistungsunternehmen, ein Wissenschaftszentrum und viel Kunst und Kultur. Die ökologischen Altlasten werden mit Engagement und Sensibilität in grüne Oasen umgewandelt – trotzdem hat das Ruhrgebiet weiterhin mit althergebrachten Klischees zu kämpfen. Doch ein Besuch der »Kohlenpott«-Städte im Wandel hin zu einer »sauberen Zukunft« lohnt allemal.*

Der Baldeneysee *im Essener Süden ist weit über die Grenzen des Ruhrgebiets hinaus als Ausflugsziel beliebt. Er wurde als Stausee der Ruhr zwischen 1929 und 1932 angelegt. Wassersportlern jeglicher Art bietet er mannigfaltige Möglichkeiten. Für all jene, die sich Wassersport lieber anschauen als selbst betreiben, ist die größte deutsche Binnensegelregatta, die hier ausgetragen wird, sicherlich ein sehenswertes Ereig-*

nis. Hoch über dem Baldeneysee liegt die großbürgerliche Villa Hügel des Stahlbarons Alfred Krupp (im Bild vorne links). Als sie 1870–73 errichtet wurde, gab es den See allerdings noch nicht.

American way of shopping
Das CentrO

Von amerikanischen Architekten geplant, entstand in Oberhausen Europas größte Shopping Mall, das CentrO. Prunkstück des Ende 1996 eröffneten Einkaufs- und Freizeitzentrums ist eine glasüberdachte Einkaufspassage. Ein Multiplexkino, die Veranstaltungshalle Arena, Gastronomie und ein Park runden das vielseitige Angebot des CentrO ab.

Das Münsterland *ist Hochburg des Ballonsports. Den Bemühungen des legendären Ferdinand Eimermacher ist es zu verdanken, daß sich die flache Landschaft zum Mekka der Ballonfahrer entwickelte. 1971 fand in Münster die erste Montgolfiade statt, inzwischen wird die internationale Wettfahrt der Heißluftballons auch in Steinfurt oder Greven inszeniert.*

Die Dichterin *Annette von Droste-Hülshoff wurde 1797 auf Burg Hülshoff in Havixbeck geboren. Der Familiensitz ist nicht das einzige Zeugnis vom Wirken der Dichterin. Interessierte Besucher können neben der Burg auch ihr Wohnhaus, das Rüschhaus, besuchen. Wer auf ihren Spuren im Münsterland wandeln möchte, erhält dazu Tips und Informationen von der Annette von Droste-Hülshoff-Gesellschaft in Münster.*

Der mächtige St.-Paulus-Dom *im Zentrum Münsters, nicht weit entfernt von der Lambertikirche, geht auf einen Auftrag des Frankenkaisers Karl des Großen zurück. Er befahl dem Missionar Liudger, die Sachsen zum christlichen Glauben zu bekehren. Liudger gründete 793 auf dem Horsteberg ein Kloster, Monasterium, dem die Stadt ihren Namen verdankt. Die bestehende germanische Siedlung wurde durch eine befestigte neue Siedlung ersetzt. Natürlich wurde zum Kloster eine kleine Kirche gebaut. Aus dieser entwickelte sich im Laufe der Jahrhunderte der imposante Dom aus Baumberger Sandstein mit hellgrünen Kupferdächern. Errichtet wurde der Dom 1225–63 anstelle eines ottonischen Vorgängerbaus. Nach dem Zweiten Weltkrieg mußte er ebenso wie andere ausgebrannte Sakralbauten der Stadt wiederaufgebaut werden (1946–56). Der Dom ist geprägt vom Übergang von der Romanik zur Gotik. Zeugnisse der hochentwickelten Steinmetzkunst in Münster sind im Inneren der Kirche die Apostelfiguren, die überlebensgroßen Evangelisten an den Vierungspfeilern und eine Christopherusfigur. Auf dem Platz vor dem Dom wird jeden Mittwoch und Samstag Markt abgehalten. Dieser Marktflecken, Mimigernaford, bewog Liudger vor über 1200 Jahren, sein Kloster hier zu errichten.*

Mitten durch den Naturpark Ebbegebirge *schlängelt sich der größte Stausee Westfalens, der Biggesee. Aus der Luft betrachtet, überrascht sein mäandrischer Lauf, aus der Nähe begeistert die Idylle aus Buchten und Halbinseln. Kein Wunder, daß die Insel Gilberg, eine ehemalige Bergkuppe, sich zu einem kleinen Paradies entwickelte und als Naturschutzgebiet ausgewiesen wurde. Besucher nutzen den Biggesee für zahlreiche Wassersportarten oder machen es sich auf einem der Ausflugsdampfer bequem.*

Das Sauerland *weist die größte zusammenhängende Höhlenlandschaft Deutschlands auf. Das größte Tropfsteinlabyrinth innerhalb dieser bizarren Welt ist die abgebildete Attahöhle. Durch Auswaschungen entstanden in Millionen von Jahren die Höhlen. Die Tropfsteine sind Resultat der Verdunstung von kalkgesättigtem Wasser, bei der Kalk wieder freigesetzt wird und sich auf dem Boden oder an den Wänden ablagert und bizarre Tropfsteingebilde hervorbringt.*

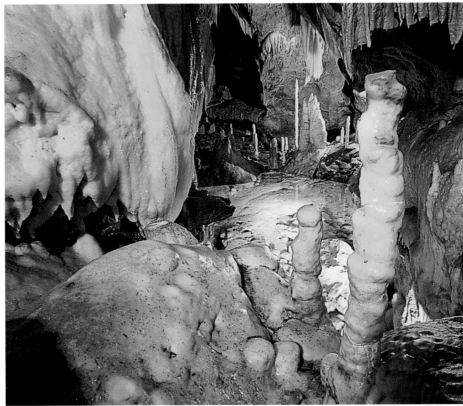

Wo die Sachsen wohnen

Sachsen-Anhalt und Sachsen

Jeder zehnte Deutsche sächselt – und die neun anderen lachen über ihn. Kein deutscher Stamm – nicht einmal die Bayern – wird so engherzig über seinen Dialekt definiert. Von Lessing stammt der Satz: »Wir wollen die Provinz in Deutschland, wo das beste Deutsch geredet wird, nicht nennen, aber sie liegt gewiß nicht mitten in Deutschland.« Trotz der Schmähungen, oder gerade deshalb: Sachsen hat – mit Schwaben – die meisten Geistesgrößen Deutschlands hervorgebracht: Leibnitz, Lessing, Schumann, Wagner, Nietzsche, Karl May, Erich Kästner und viele mehr. Dem Reformator Martin Luther, in Eisleben geboren, ist in Wittenberg ein Denkmal gesetzt worden.

Genie, Weltoffenheit und Fleiß – Sachsens Kulturgeschichte ist reich an Sehenswürdigkeiten: Zu den bedeutendsten zählen der Dresdner Zwinger, Schloß Moritzburg (Abbildung rechts), die Festung Königstein, die Buchhändlerstadt Leipzig und Meißen, das Mekka des Porzellans. Der lebenslustige August der Starke, Kurfürst von Sachsen und König von Polen, der 300 Kinder gezeugt haben soll, gilt als der bedeutendste Monarch des Adelsgeschlechts der Wettiner.

Sachsen-Anhalt dagegen war immer ein Durchgangsland zwischen Nord- und Süddeutschland, in dem sich die alte und die neue Zeit begegneten: Industrie um Halle, Bitterfeld und Straßfurt und das idyllische Land mit den kleinen, alten Städten am Rande des Harzes; zerfallene Burgen überall, die um die Jahrtausendwende den Slaweneinfällen getrotzt hatten oder zu Raubritterburgen geworden waren.

Das Uenglinger Tor *in Stendal aus dem 14. Jahrhundert ist für die Besucher der Altmark-Stadt ein imposanter Blickfang. Im Spätmittelalter war Stendal eine wichtige Handelsmetropole, Mitglied der Hanse und Hauptort des altmärkischen Städtebundes. In seiner Blütezeit galt Stendal als die reichste Stadt der Mark Brandenburg. Zahlreiche gotische Backsteinbauten künden noch heute von den glänzenden Zeiten.*

Dom- und Schloßanlage *beherrschen das Stadtbild von Merseburg. Der Dom mit seinen vier und das Schloß mit seinen drei Türmen bilden eine eindrucksvolle Baugruppe, die beliebtes Ausflugsziel für Touristen ist. Die Stadt an der Saale kann auf eine lange und wechselvolle Geschichte zurückblicken. Auf dem Schloßhügel entstand schon im 9. Jahrhundert eine Siedlung. 968 gründete Kaiser Otto I. das Bistum Merseburg.*

Märchenhaft schön *liegt das Rathaus von Wernigerode mit seinen zierlichen Erkertürmchen am Marktplatz der Stadt. Wann es erbaut wurde, weiß niemand, erwähnt wurde es erstmals 1277. Die Balken des Baus sind reich verziert mit lustigen Figuren. Die dargestellten Spieler und Trinker lassen darauf schließen, daß das Haus einst als Spielhaus diente, aber auch zum Tanzen und zur Rechtsprechung genutzt wurde. 1427 schenkte es Graf Heinrich den Bürgern. Sie durften hier auch Hochzeiten feiern, allerdings nur am Wochenende und mit höchstens 120 Gästen. Das Rathaus ist nur eines von zahlreichen einmalig schön restaurierten Fachwerkhäusern aus fünf Jahrhunderten in Wernigerode. Die Vielzahl der Stilrichtungen verdankt die Stadt mehreren Bränden. Beim Wiederaufbau wurden die zerstörten Häuser im jeweils vorherrschenden Architekturstil neu errichtet.*

Der Radaufall *bei Bad Harzburg mit dem dekorativ hinabstürzenden Wasser des Flüßchens Radau ist zwar ein hübsch anzusehendes Schauspiel, aber inszeniert wurde es nicht von der Natur, sondern vom Menschen. Als der Finanzdirektor von Amberg 1837–41 die erste Eisenbahnlinie von Braunschweig nach Harzburg bauen ließ, nahm der Fremdenverkehr in dem Städtchen einen bedeutenden Aufschwung, Um den Besuchern neben Wanderwegen, Ausflugslokalen und Kuranlagen eine weitere Attraktion bieten zu können, wurde das Flüßchen Radau umgeleitet und stürzte sich fortan über steile Felsen in die Tiefe – den Touristen gefällt das noch heute.*

Hexen im Harz?
Nicht nur zur Walpurgisnacht

Den Hexentanzplatz auf der Roßtrappe bevölkern in der Walpurgisnacht seit 1990 wieder alljährlich schaurig-schöne Hexen, die im Feuerschein alle das Fürchten lehren. Wer auch sonst nicht auf Hexen verzichten möchte, besucht die Walpurgishalle oder nimmt eine der Hexenpuppen als Souvenir mit nach Hause.

Eine Burg, ein Dom, *eine Stadt und zwei Schwerter in Kobaltblau – das ist Meißen, Europas Hauptstadt des Porzellans. Auf dem Marktplatz wird dem Besucher gezeigt, wie der historische Stadtkern aussehen könnte, wenn er fertig renoviert ist. Hier stehen das Rathaus aus dem 15. Jahrhundert mit dem Meissner Stadtwappen in der weißen Fassade und dem großartigen Satteldach, die Marktapotheke, das gelbe Hirschhaus sowie das Bennohaus, einst Bischofssitz. Insgesamt 600 Häuser stehen unter Denkmalschutz.*

Fachwerkhäuser aus sechs Jahrhunderten *schmiegen sich an den Schloßberg in Quedlinburg. Kein Dach gleicht dem anderen, jeder Giebel ist ein Unikat. Die von den Jahrhunderten gezeichneten Häuser bilden malerische Gassen. Im Hintergrund erhebt sich die Kirche St. Servatius, Teil des ehemaligen Damenstifts. Das Schloß in Quedlinburg, das die UNESCO mit Teilen der Altstadt zum »Weltkulturerbe« erhoben hat, diente in früheren Zeiten den deutschen Königen als Regierungssitz.*

Als Gründungsbau des deutschen Klassizismus *gilt das Schloß Wörlitz mit seiner klaren Gliederung und dem Portikus mit korinthischen Säulen. Ein See und die herrliche Parkanlage umsäumen die Anlage. Nahe dem Schloß, das zum Teil als Museum den Besuchern offensteht, liegt das Gotische Haus, das erste deutsche Bauwerk der Neugotik.*

In Wörlitz *entstand ab 1765 der erste Landschaftspark nach englischem Vorbild in Deutschland. Fürst Leopold III. Friedrich Franz von Anhalt-Dessau schuf gemeinsam mit dem Architekten Friedrich Wilhelm von Erdmannsdorff diese Anlage, die noch heute zu den schönsten in ganz Deutschland zählt. Rings um den Wörlitzer See entstand ein von Kanälen durchzogener Garten mit Skulpturen, Grotten, Pavillons und phantasievoll gestalteten Hecken- und Blumenarrangements.*

Atemberaubend ist der Blick,
der sich dem Besucher von der Bastei aus
auf die Elbe bietet. 305 Meter hoch ist
der meistfotografierte Felsen des National-
parks Sächsische Schweiz. Er bietet bei
gutem Wetter eine Sicht weit über die
Tafelberge Lilienstein und Pfaffenstein
hinaus bis nach Tschechien. Sogar der
Hohe Schneeberg ist dort am Horizont
noch zu erkennen. Jährlich genießen eine
halbe Million Touristen diesen Blick.
Statt mit dem Auto zur Bastei zu reisen,
empfiehlt sich die Annäherung per Schiff.
Von Dresden aus über Pirna und Wehlen
wird mit dem Liniendampfer schließlich
Rathen erreicht. Wer es nicht so eilig hat,
kann zum Beispiel einen Zwischenstopp
im »Strandhotel« in Wehlen einlegen. Auf
einem langen Sandsteinriff gleich hinter
der Basteibrücke (1851) sind in 270 Metern Höhe die Reste der mittelalterlichen
Felsenburg Neurathen zu betrachten.

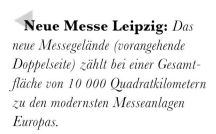

Neue Messe Leipzig: *Das*
neue Messegelände (vorangehende
Doppelseite) zählt bei einer Gesamt-
fläche von 10 000 Quadratkilometern
zu den modernsten Messeanlagen
Europas.

Semperoper: *Das Reiterstandbild König Johanns »bewacht« das Opernhaus. Der berühmte Hamburger Architekt Gottfried Semper (1803–79) hatte in Dresden ein Opernhaus erbaut, das von Zeitgenossen als das »schönste Theater der Welt« gepriesen wurde. 1841 wurde es eröffnet, 1869 brannte es nieder. Sempers Sohn baute den Prachtbau nach Plänen des Vaters wieder auf. Nach der Zerstörung 1945 feierte die Semperoper erst im Jahr 1985 mit einer »Freischütz«-Inszenierung ihr Comeback.*

Weißes Gold in Sachsen
Meissener Porzellan

Die anmutige »Nackte« wurde um 1905 in der weltberühmten Porzellanmanufaktur in Meißen geschaffen und ist nur ein Beispiel für die zahllosen Variationen in Porzellan, die die Manufaktur seit der Gründung 1710 hervorbrachte. Ihr Gründer, August der Starke, erkannte rasch die finanziellen Möglichkeiten, die das »weiße Gold« barg. Die kobaltblauen gekreuzten Schwerter wurden das erste Markenzeichen der Welt.

Zwischen Taunus und Thüringer Wald

Hessen und Thüringen

Hessen gilt vielen nur als Durchgangsland – völlig zu Unrecht. Hat die Kleinstaaterei allenthalben eine Vielzahl von wehrhaften Burgen und Schlössern hervorgebracht – hier sind sie besonders zahlreich erhalten geblieben. Zieren idyllische Fachwerkhäuser auch andere Städte – nirgends sind sie dichter gesät als in Alsfeld, Fritzlar und Limburg. Das waldreiche Land, in dem die Brüder Grimm ihre Märchen sammelten, bietet weit mehr als Fachwerkidylle. Frankfurt am Main mit seiner beeindruckenden Skyline dagegen ist Deutschlands Finanzmetropole Nummer Eins.

»Deutschlands grünes Herz« wird Thüringen genannt, reich an Luftkurorten und landschaftlichen Schönheiten (Abbildung rechts: das mittlere Saaletal). Auf der Wartburg übersetzte Martin Luther das Neue Testament. Hier verkündeten Herder und Wieland ihre humanistischen Ideale einem europäischen Publikum. »Deutschland, das Land der Dichter und Denker« – dieses schmeichelhafte Prädikat ist, wenn überhaupt irgend jemandem, dem Land Thüringen zu verdanken. Trotz aller Widrigkeiten sind die Menschen ihrer Heimat treu geblieben. 1989, auf dem Höhepunkt der Fluchtwelle aus der DDR, haben sie das Standbild ihrer Nationalheiligen Goethe und Schiller mit einem kleinen Schild versehen. Darauf stand: »Wir bleiben hier!«

Der St.-Georg-Dom in Limburg *aus dem 13. Jahrhundert ist eines der faszinierendsten Sakralgebäude Europas. Das siebentürmige romanische Gotteshaus im Stil einer burgähnlichen Basilika ist außerdem das Wahrzeichen der Stadt an der Lahn. Limburgs reichverzierte Patrizierhäuser, seine stattlichen Burgmannenhöfe, die Stiftsherren- und Hallenhäuser demonstrieren ein seit dem Mittelalter ungebrochenes städtisches Selbstbewußtsein. Wenn sich beim Betrachter angesichts des Doms angenehme Erinnerungen einstellen, mag dies daran liegen, daß er einst den 1000-DM-Schein der Bundesbank zierte.*

Den Marktplatz von Fritzlar *schmücken liebevoll restaurierte Fachwerkhäuser aus dem 15.–18. Jahrhundert. Seit dem 11. Jahrhundert im Besitz der Erzbischöfe von Mainz, war die Stadt auf dem linken Steilufer der unteren Eder das Zentrum der erzbischöflichen Territorialpolitik in Hessen. Die Stadtmauer mit ihren eindrucksvollen Wehrtürmen umschließt den alten Ortskern. Zu den Sehenswürdigkeiten Fritzlars zählen außerdem die romanische Pfarrkirche und die Fraumünsterkirche mit ihren hochgotischen Wandmalereien.*

Barocke Bauten, *wie der Dom St. Salvator und Bonifatius, prägen das Stadtbild von Fulda. Der Dom wurde 1704–12 nach dem Muster der römischen Kirche Il Gesù von Johann Dientzenhofer unter Verwendung der alten Bausubstanz der Ratgar-Basilika (9. Jahrhundert) errichtet. In der Krypta ruhen die Gebeine des Heiligen Bonifatius, Missionar und Organisator der Fränkischen Kirche. Am Bonifatiusaltar in der Gruft ist der Märtyrertod des »Apostels der Deutschen« dargestellt. Der Rundbau der Michaelskirche, wenige Meter nördlich des Doms, bietet ein faszinierendes Raumerlebnis. Vorbild für den Kirchenbau war die Grabeskirche von Jerusalem.*

Der Vogelsberg *in Hessen ist mit seinem Waldreichtum und seinen sanft abgerundeten Kuppen ein Ausflugsziel mit hohem Erholungswert. Der Vulkanstock im südlichen Hessischen Bergland, der seinen höchsten Punkt am Taufstein mit 774 Metern erreicht, fällt kreisförmig zu den umliegenden Landschaften ab. Das größte Basaltmassiv Deutschlands wird von zahlreichen Flüssen (Nidda, Wetter, Ohm, Schwalm) durchschnitten. Das Mittelgebirgsklima ist ausgesprochen rauh. In den Wintermonaten ist die schneereiche Region ein Eldorado für Skilangläufer. Unterhalb von 500 Metern wird der Vogelsberg verstärkt landwirtschaftlich genutzt.*

Wo Rotkäppchen den Wolf traf
Die Brüder Grimm

Die in Hanau geborenen Brüder Jacob und Wilhelm Grimm veröffentlichten 1812 und 1815 ihre berühmten »Kinder- und Hausmärchen«. Von einfachen Leuten in Mittel- und Nordhessen ließen sie sich Märchen erzählen und schrieben sie auf. Den Brüdern Grimm ging es um die Bewahrung der Volkspoesie. Und wir wissen heute: Rotkäppchen war Hessin.

▲**Frankfurter Messeturm:** *Im Jahr 1990 erhielt die Bankenmetropole ein neues Wahrzeichen: Mit dem 256 Meter hohen Messeturm wurde das bis dahin höchste Gebäude Europas nach sechsjähriger Planungs- und Bauzeit fertiggestellt. Der Bau des Architekten Helmut Jahn in »Mainhattan« war krönender Abschluß der Neugestaltung der Messe.*

▲**Michelstadts** *schönstes Fachwerkhaus ist das spätgotische Rathaus von 1484. Die mächtigen Eichenbalken der offenen Ständerhalle tragen den Oberbau mit seinen zwei spitztürmigen Erkern. Der Ort im Odenwald hat aber noch mehr zu bieten: Neben der Stadtkirche ist die dreischiffige Einhardsbasilika und das Schloß Fürstenau sehenswert.*

Das Herz des Jugendstils

pulsierte zu Beginn des Jahrhunderts in Darmstadt. Den 1830 angelegten Park Mathildenhöhe stellte Großherzog Ernst Ludwig 1899 der Darmstädter Künstlerkolonie zur Ausgestaltung zur Verfügung. Der alles überragende Hochzeitsturm mit seinen fünf Zinnenfingern auf der Mathildenhöhe ist zum Wahrzeichen Darmstadts geworden. Er wurde von dem Architekten und Jugendstil-Künstler Joseph Maria Olbrich erbaut (1907–08). Daneben steht, in aufreizendem Kontrast, die russische Kapelle, die Zar Nikolaus II. zu Ehren seiner Frau in ihrer Geburtsstadt errichtet hat. Alexandra Fjodorowna wurde 1872 als Alice, Tochter des Großherzogs Ludwig IV. von Hessen, in Darmstadt geboren.

Die Herstellung künstlichen Goldes *ist ein uralter Traum der Menschheit, der leider nie wahr wurde. Im Schloß Büdingen in Mittelhessen ist ein komplett eingerichtetes Alchimisten-Laboratorium zu besichtigen. Entdeckt haben die Pioniere der wissenschaftlichen Chemie Phosphor, Porzellan und Schwarzpulver.*

Die grüne Lunge Frankfurts *ist der Taunus. Das Wispertal ist ein bedeutendes Naherholungsgebiet für die Städte des Rhein-Main-Gebiets. Der bis zu 880 Metern Höhe ansteigende Mittelgebirgszug weist im Nordwesten waldreiche Hänge auf, während an seinem Südende, im Rheingau, vorzügliche Weine angebaut werden. Der Taunus will auf Schusters Rappen erkundet werden, auf einem der zahllosen Wege, die ihn kreuz und quer durchziehen.*

Mosaikverzierungen *im byzan-
tinischen Stil schmücken Wände und
Gewölbe der Elisabeth-Kemenate auf
der Wartburg, der Festung hoch über dem
thüringischen Eisenach. Seinen Namen
verdankt das Frauengemach der mildtäti-
gen Gemahlin Ludwigs V., die vier Jahre
nach ihrem Tod heiliggesprochen wurde.*

*Die Wartburg, im Jahr 1080 erstmals er-
wähnte ehemalige Residenz der Thüringer
Landgrafen, gilt als die deutscheste aller
Burgen. Kaum ein anderes Bauwerk in
Deutschland beherbergt so viel Historie
hinter seinen Mauern und hat andererseits
so die Phantasie beflügelt. Daß der berühmte »Sängerkrieg« Anfang des 13. Jahrhunderts tatsächlich auf der Wartburg
ausgetragen wurde, ist wohl nur Legende.*

*Gesichert ist, daß der Reformator Martin
Luther 1521–22 auf der Burg das Neue
Testament ins Deutsche übersetzt hat.
1817 fand auf der Wartburg das
berühmte Wartburgfest der Deutschen
Burschenschaften statt, eine Demonstra-
tion patriotischer und liberaler Kräfte gegen die Reaktion und Fürstenwillkür.*

Schloß Heidecksburg *in Rudolstadt gilt als das prächtigste Rokokoschloß Thüringens. Die ehemalige Residenz der Schwarzburger Fürsten wartet mit herrlich ausgestatteten Festsälen und Wohnräumen auf, verfügt aber auch über bedeutende Gemäldesammlungen und andere Kunstschätze. Das wunderschön gelegene Rudolstadt an der Saale kann sich außerdem mit einem Kompliment aus höchstem Munde schmücken: Der Dichter Friedrich Schiller bezeichnete die Stadt als sein »Mekka«. Hier, im Haus der Gräfin von Lengefeld, hat er seinen Freund Goethe kennengelernt – und seine spätere Ehefrau Charlotte.*

Geistiges Zentrum Deutschlands

Weimarer Klassik

Das Goethe-Schiller-Denkmal von Ernst Rietschel (1857) vor dem Nationaltheater in Weimar legt Zeugnis einer unverbrüchlichen und produktiven Verbindung ab, die in die Literaturgeschichte einging und über Deutschland hinaus wirkte. Von 1794 bis zu Schillers Tod im Jahr 1805 entwickelten Goethe und Schiller die ästhetischen Grundlagen der sogenannten »Weimarer Klassik«.

In Neuhaus am Rennweg *im westlichen Schiefergebirge steht eine sehenswerte Holzkirche. Wintersport und Wandertourismus machen den Ort zu einem Geheimtip für Entdeckungsfreudige. Von hier aus läßt sich der Rennsteig erkunden, ein traditionsreicher Grenz- und Höhenweg, der 168 Kilometer durch den Thüringer Wald und das Schiefergebirge führt. Seit 1990 ist er vom Mittellauf der Werra bis zum Oberlauf der Saale, von Hörschel bis Blankenstein in voller Länge begehbar. Jahrhundertelang trennte er Franken und Thüringer, West- und Ostdeutsche bis in die jüngste Gegenwart. Im Jahr 1649 wurde der traditionsreiche »Rynnestig« erstmals kartografisch erfaßt. Stille Waldpfade, steinige Bergwege und asphaltierte Forststraßen kennzeichnen den »König der deutschen Wander- und Höhenwege«.*

Der vergoldete lesende Knabe *auf dem Vorplatz der Bürgerschule in Weimar weist die Richtung: In der heute 60 000 Einwohner zählenden Stadt, der Stadt Goethes und Schillers, liefen einmal alle Fäden der mitteleuropäischen Kultur zusammen. Daran will Weimar anknüpfen, wenn es sich 1999 mit seinen Schlössern, Museen und Gedenkstätten den Besuchern aus aller Welt als »Kulturhauptstadt Europas« präsentiert.*

»Wenn im Saaletal die Rosen blühen…«, *erblühen die Herzen der Besucher gleich mit. Wie hier im Rosenspalier des Dornburger Schloßparks entfalten die Blumen Ende Juni ihre schönste Pracht. Deshalb findet am letzten Juniwochenende das Rosenfest statt, auf dem die Rosenkönigin gewählt wird. Auch am heißesten Sommertag weht ein leichter Wind über das 90 Meter hoch gelegene Dornburger Plateau. Inmitten herrlichster Gartenarchitektur reihen sich gleich drei Schlösser wie im Wettstreit um den herrlichsten Blick auf die Saaleschleife aneinander.*

Die Klosterkirchenruine Paulinzella im Schiefergebirge läßt mit ihren wuchtigen Ecktürmen und malerischen Arkaden den Besucher die bauliche Faszination des Mittelalters erahnen. Das alte Gemäuer lädt aber auch zur Andacht und inneren Einkehr ein. Die vom Zahn der Zeit angenagte Ruine hält seit Jahrhunderten stille Wacht im ehemaligen germanisch-slawischen Grenzland. Inmitten des waldreichen, wenig besiedelten Gebietes, dem vielleicht verträumtesten Zipfel Thüringens, wird der stille Wesenszug der Region offenbar. Die Abgelegenheit und Naturnähe des Schiefergebirges haben auch den für die Region zuständigen Weimarer Minister Johann Wolfgang von Goethe inspiriert: »Was weiß ich, was mir hier gefällt, in dieser engen, kleinen Welt, mit leisem Zauberband mich hält!« reimte der Dichterfürst, der hier oft auf Reisen war.

Lauscha gehört zu den hübschesten Orten im oberen Schiefergebirge. Von der Kirche am Berghang hat man einen wunderschönen Blick auf die Straße, die die Achse des langgezogenen Dorfes bildet. Eng schmiegen sich die schiefergedeckten Häuser an die bewaldeten Hänge. In der Vergangenheit lebten die Menschen hier von dem, was die Natur ihnen bot: Von der Köhlerei in den dichten Wäldern und von den Schätzen, die im Boden verborgen waren. In unzähligen kleinen Bergwerken bauten die Einheimischen Schiefer, Erze und Quarze ab.

Die Ortschaft Lauscha gilt als Hochburg der Glasherstellung. Zu den bekanntesten Produkten »made in Lauscha« gehören Christbaumkugeln und die berühmten Glasaugen. Im Glasmuseum von Lauscha werden auf mehreren Stockwerken die lange Tradition und die handwerkliche Entwicklung der Glasbläserkunst seit dem 16. Jahrhundert vorgeführt. Die schön geformten Exponate zeigen exemplarisch die vielfältigen Ausdrucksmöglichkeiten des Materials. Ihren besonderen optischen Reiz entfaltet die Ausstellung, wenn sich die Sonnenstrahlen in dem kostbaren Glas brechen und ein zauberhaftes Farbenspiel auslösen. Im Winter, den viele Besucher für die schönste Jahreszeit im Schiefergebirge halten, glänzen die schwarzen Schieferhäuser Lauschas unter ihren weißen Hauben. Aus den Schornsteinen verheißt dunkler Qualm heimelige Gemütlichkeit. In der Luft liegt ein würziger Geruch nach Holz und Harz.

Vom Rhein zum Wein

Rheinland-Pfalz und Saarland

Eine Rheinreise zu schildern«, schrieb der Schriftsteller Heinrich Laube, der 1833 nach biedermeierlicher Art mit der Postkutsche durch das Land bummelte, »ist heute so überflüssig, wie wenn einer erzählen wollte, er habe ein Gedicht verfaßt. Jeder gebildete Mensch macht jetzt beides. Auch ist das Wort Rhein in Deutschland so bekannt und angesehen wie das Wort Nachtigall. Man himmelt in beiden. Rhein heißt so viel wie: schöne Gegend. Wenn Engländer und Franzosen eine Vergnügungsreise nach Deutschland machen wollen, so verstehen sie unter Deutschland das Rheinland.«

Nicht nur der Wein übt seine Anziehungskraft auf den Besucher aus. Zum Träumen verleiten malerische Gäßchen und majestätische Burgen (Abbildung rechts: die Schönburg bei Oberwesel). Die Wirren der Geschichte, insbesondere den pfälzisch-französischen Erbfolgekrieg (1688–97), überstand unversehrt lediglich die märchenhafte Burg Eltz. Mit dem Saar-Nahe-Bergland, den Kalkhöhen südwestlich von Lothringen und dem saarpfälzischen Kohlengebirge, geht Rheinland-Pfalz in das Saarland über. Trotz Schwerindustrie und ihren Folgen hat sich auch hier vielfach das ursprüngliche Landschaftsbild erhalten, geprägt vom Weinbau und der Nähe zu Frankreich. An Naturschönheiten bietet es seinen Besuchern nicht nur die berühmte Saarschleife bei Mettlach. »Läwe un läwe losse« lautet die Devise, die die Saarländer aus ihrer wechselvollen Geschichte abgeleitet haben. Die Saarländische Küche gilt längst nicht mehr als Geheimtip.

Ruhe und Beschaulichkeit strahlt der Kreuzgang des Mainzer Doms aus. Die wuchtige Kirche gehört zu den drei großen romanischen Kaiserdomen am Rhein. Gegen 1100 ist der Bau als doppelchörige, dreischiffige Basilika mit einem Querhaus errichtet worden. Nach einem verheerenden Brand im 18. Jahrhundert wurde der Dom, der Grabdenkmäler vieler Erzbischöfe beherbergt, wiederhergestellt.

Bingener Wahrzeichen: *Der Mäuseturm im Rhein, im Hintergrund die Ruine Ehrenfels. Der Turm wurde im 10. Jahrhundert als Zoll- und Signalturm vom grausamen Erzbischof Hatto errichtet. Der Sage nach soll er sich während einer großen Hungersnot geweigert haben, seine Kornspeicher zu öffnen. Im Turm sollen Mäuse über ihn hergefallen sein und ihn lebendig aufgefressen haben.*

Idyllisch und trutzig zugleich überragt die Burg Montabaur das Zentrum des Westerwaldkreises. Um das Jahr 1000 hieß der Ort noch Humbach und war Residenz der Konradiner Grafen. Ihren neuen Namen erhielt die Siedlung, als der Trierer Erzbischof Dietrich II. von Wied im 13. Jahrhundert zur Ab-

wehr der Grafen von Nassau auf dem Schloßberg ein Kastell errichten ließ und es auf den biblischen Namen »Mons Tabor« (Berg Tabor) taufte. Sein heutiges Aussehen verdankt der von einem wuchtigen Bergfried dominierte Komplex Kurfürst Hugo von Orsbeck, der bei den Umbauten sorgfältig darauf achtete, daß der wehrhafte Charakter der Anlage erhalten blieb. Im 17. Jahrhundert wurde aus dem »Mons Tabor« das Schloß Montabaur. Die Stadt entwickelte sich

über lange Jahre zu einem quirligen Handelszentrum, bis mehrere Stadtbrände im 16. und 17. Jahrhundert sowie der Dreißigjährige Krieg den Wohlstand in Schutt und Asche legten. Zahlreiche Fachwerkhäuser aus dem 17. und 18. Jahrhundert zeugen noch heute vom umfangreichen Wiederaufbau der Stadt.

Ein Abstecher zum Loreley-Felsen *bei St. Goarshausen ist Höhepunkt einer jeden Rheintour. An Bord der kleinen Ausflugsdampfer erschallt dann – natürlich bei einem Gläschen Rheinwein – die Hymne, die Heinrich Heine gedichtet und Friedrich Silcher in klingende Töne verwandelt hat. »Ich weiß nicht, was soll es bedeuten…« beginnt das Lied über die männermordende »Femme fatale«, die so viele Schiffer in den Tod getrieben haben soll. Heute weht auf dem Felsen die Bundesflagge, eine drei Meter hohe Loreley-Statue sitzt seit 1983 auf der Spitze der Mole des Winterhafens von St. Goarshausen.*

Sirene am Rhein
Die Loreley

Fasziniert von Sagen ersann C. Brentano 1801 die Frauengestalt, deren Name sich aus den mittelalterlichen Begriffen für Elfe (»lure«) und Fels (»ley«) zusammensetzt. Brentano schildert das Drama um die auf dem Felsen lebende Jungfrau, deren Schönheit die Männer anzieht. Die Unmöglichkeit, die Holde zu erlangen, läßt die in Liebe Entflammten an gebrochenem Herzen sterben.

In der Vulkaneifel *prägen die runden oder ovalen Maare das Landschaftsbild. Die Kraterseen zeugen vom regen Vulkanismus in der Vorzeit. Zusammen mit den Basaltkuppen der erloschenen Vulkane vermittelt das wellige Hochland einen eigenwilligen Eindruck.*

Maria Laach *liegt wildromantisch am Ufer des Laacher Sees. Die 1156 geweihte Benediktiner-Abteikirche bietet romanische Baukunst in Vollendung. Der hellbraune Tuff des Baukörpers kontrastiert dekorativ mit dem blauschwarzen Basalt der Wandgliederung.*

Die Kaiserthermen in Trier *sind eindrucksvolle Zeugen der römischen Kultur. Der Bäderpalast von Kaiser Konstantin entstand um das Jahr 300 und war luxuriös mit Kaltwasser-, Warmwasser- und Dampfbad ausgestattet.*

▶ **Die Burg Eltz** *läßt das Herz der Freunde deutscher Ritterromantik höher schlagen. Die 1157 erstmals erwähnte Feste in einem Seitental der Eltz gilt als Inbegriff mittelalterlicher Trutzburgen. Der Bau, der sich auf einem 70 Meter hohen Felsrücken stolz emporreckt, ist über die Jahrhunderte hinweg im Besitz der Grafen von Eltz geblieben. Jede Generation ergänzte die ursprüngliche Burg um einen Anbau: einen Giebel, ein Türmchen, ineinander verschachtelte neue Wohngebäude. So entstand – zur Freude der großen und kleinen Besucher – ein umfassendes Burglabyrinth. In der mehr als 800jährigen Geschichte trotzte die Burg Eltz allen Eroberungsversuchen. Auch während der französischen Feldzüge von 1689 blieb die Burg als einzige Moselfestung unversehrt – allerdings nur, weil bei den französischen Truppen ein Offizier diente, der zum Elsässer Zweig der Familien Eltz zählte.*

▶ **»Wein trinken** *ist wie ein Gebet – und am liebsten bete ich an der Mosel«, dichtete schon der bei Trittenheim geborene Stefan Andres, einer der bekanntesten Schriftsteller an der Mosel. Die elegante Schleife, die die Mosel bei Trittenheim im Laufe der Erdgeschichte herauspräpariert hat, bietet einen ganz besonderen Panoramablick auf Fluß, Weinberge und anmutige Höhen. Dabei hat Trittenheim noch mehr zu bieten als nur den Rebensaft. Hier wurde Johannes Zeller geboren, der als bedeutender Kleriker und Naturwissenschaftler von sich reden machte. Dem Mann, der sich später nach seiner Heimat Johannes Trithemius nannte, wurden geheimnisvolle Zauberkräfte nachgesagt.*

Von der Cloef, *einem hoch über der Flußwindung gelegenen Fels, genießt der Besucher den schönsten Blick über die Saar. Bei Sonnenschein werden Berg und Fluß in sanftes, friedliches Licht getaucht. Wenn am frühen Morgen dicke Nebelschwaden wie Watte in den Tälern liegen, erscheint die Gegend hingegen wie eine ferne Märchenwelt.*

An den steilen Ufern und Terrassen der Untersaar, die den Hängen eine ganz eigene Gestalt verleihen, wird ein vorzüglicher Wein geerntet, den Kenner in aller Welt zu schätzen wissen. Neben den Moselweinen gilt der Rebensaft, der an den Hängen der Saar und der kleinen Ruwer wächst, zu den ganz besonderen Gaumenfreuden der Weißweinkenner.

Die Rieslinge gelten als ausgesprochen rassig und filigran, wenngleich ihre Säure mitunter sehr prägnant sein kann.
Die Saar mündet nach 246 Kilometern bei Konz, die Ruwer nach 40 Kilometern bei Trier in die Mosel. Saar und Ruwer fließen durch ruhige Gebiete und überraschen den Besucher immer wieder mit ihren schönen Flußmäandern.

Die alte Völklinger Hütte *steht seit ihrer Stillegung im Jahr 1986 unter Denkmalschutz. 1994 wurde sie von der UNESCO in die Liste des Weltkulturerbes aufgenommen. Die Hütte gilt als einzigartiges Zeugnis der Industriekultur und Technikgeschichte. Unter Leitung der Familie Röchling wuchs »die Hidd« ab 1873 zu einem der modernsten Hüttenwerke der Welt.*

Auf einem Bergkegel *thront die mächtige Burg Trifels über dem Örtchen Annweiler im Tal der Queich. Die mächtige, mittlerweile wiederaufgebaute Festung an der Eingangspforte des Wasgaus war während der Stauferzeit die Lieblingsburg von Kaiser Friedrich I. Barbarossa. In der Kapelle hüteten Mönche des nahegelegenen Klosters Eußerthal die Reichskleinodien. Flankiert wird die Trifels von den Burgen Anebos und Scharfenberg, die im Volksmund »Dickkopf« und »Münz« genannt werden. In den Mauern wurde in den Jahren 1193–94 ein berühmter Gefangener beherbergt: Richard Löwenherz, der erst nach Zahlung eines Lösegelds freikam, machte unfreiwillig Station in der herrlichen Gegend. Der Ort Annweiler am Trifels erhielt 1219 durch Staufenkaiser Friedrich II. die Stadtrechte.*

Ein Paradies *für den Wanderer ist der Pfälzer Wald im rheinland-pfälzischen Mittelgebirge. Der Höhenzug erstreckt sich zwischen Zaberner Senke im Süden und dem Nordpfälzer Bergland im Norden. Der überwiegend von Mischwald bedeckte Pfälzer Wald ist die größte geschlossene Waldfläche in der Bundesrepublik. Zahlreiche markierte Wanderwege weisen Naturfreunden den Weg durch diese liebliche Gegend. Alte Ruinen und Burgen machen die Gegend zu einem ausgesprochen interessanten Ausflugsgebiet. Wer die Aussicht über den Pfälzer Wald genießen will, dem empfiehlt sich der Besuch von Burg Gräfenstein bei Merzalben, der Burgruine Lindelbrunn oder der Altdahner Burgen bei Dahn.*

Mittelalterliches Heldenepos
Der Schatz des Nibelungen

Die sagenumwobenen Versenkung des Nibelungenschatzes durch den Rekken Hagen von Tronje ist das Motiv des Denkmals unterhalb der Nibelungenbrücke in Worms. Um 1200 verquickte ein unbekannter Dichter historische Fakten und alte Mythen zum Nibelungenlied. Die Sage um Siegfried, Kriemhild und Brunhild schlug fortan die Generationen in ihren Bann.

Musterland am Neckarstrand

Baden-Württemberg

Als die Menschen, so wird erzählt, das Paradies verloren hatten, ging der Herrgott daran, die Welt aufzuteilen. Da konnte sich jeder wünschen, was er wollte: Der Russe bekam seine Steppe, der Spanier seine Palmen und so weiter. Als alles verteilt war, kam der Schwabe angerannt: »Ach du lieb's Herrgöttle, isch denn werkli scho alles furt? So ebbes sott mer net glaube, daß dös alles so elend pressiert!« So bekam – der Sage nach – der Schwabe eben nur, was übrig geblieben war: ein wenig Wald, ein wenig Berg und etwas Feld, woraus er sein »Ländle« zimmerte. Die Enge prägte die Menschen, Sparsamkeit wurde zum Charakterzug.

Heute ist Baden-Württemberg das drittgrößte Bundesland und als Region innovativer Techniken beispielhaft. Was der Karlsruher Ingenieur Carl Benz 1886 mit seinem »Wagen ohne Pferde« – Spitzengeschwindigkeit 20 Stundenkilometer – in Bewegung setzte und Gottlieb Daimler in seinem Cannstatter Gartenhaus weiterentwickelte, zählt längst zur Weltspitze der Automobilindustrie. Nirgendwo haben sich Tüftler und Techniker konzentrierter versammelt als im »Musterländle« Baden-Württemberg. Trotz der Industrialisierung haben es die Menschen verstanden, ihre schmucken Fachwerkstädtchen zu bewahren und die Schönheiten ihrer Landschaft (auf der Abbildung rechts die Insel Mainau während der Rosenblüte) zu pflegen.

Die berühmte Altstadtansicht
*Heidelbergs mit der Alten Brücke über
den Neckar, der Schloßruine am Fuß des
Königsstuhls und der Heiliggeistkirche
(vorangehende Doppelseite) begeistert noch
heute Besucher aus dem In- und Ausland.
1689 und 1693 wurde das ab 1225 erbaute Heidelberger Schloß zur »schönsten
Schloßruine Deutschlands«. Die weltoffene
Atmosphäre der Stadt wird von der dritt-
ältesten deutschen Universität (seit 1386)
und ihren Studenten geprägt.*

**Glaubensstreng waren die
Zisterzienser** *und so erbauten sie das
Kloster Maulbronn in nüchternem, fast
schmucklosem Stil. Allerdings besticht die
1147 gegründete Klosteranlage durch ihre
sorgfältige Steinbearbeitung. Das Innere der
Brunnenkapelle mit ihren dreischaligen
Brunnen ist besonders stimmungsvoll.*

**Auf einem Inselberg über
dem Kochertal** *erhebt sich am östlichen
Stadtrand von Schwäbisch Hall im Ortsteil
Steinbach das wehrhaft befestigte Kloster
Groß-Comburg. Im Innern birgt der Hallen-
bau herausragende Werke romanischer
Goldschmiedekunst, etwa einen riesigen
Radleuchter mit 15 Metern Durchmesser,
dessen zwölf Türme mit den zwölf Apo-
steln das Himmlische Jerusalem symboli-
sieren. Oder das Antependium, eine Christus
und die Jünger darstellende Vorsatztafel des
Hochaltars. Die ehemalige Reichsstadt hat
ihren Reichtum im Mittelalter mit Salz-
gewinnung und Münzprägung erworben.
Noch heute spiegelt die malerische Altstadt
mit ihren prächtigen Bürgerhäusern den
andauernden Wohlstand ihrer Bewohner
wider. Seit 1925 ist die 54 Stufen zählende
Freitreppe der evangelischen Kirche
St. Michael allsommerlich Schauplatz
der Freilichtspiele Schwäbisch Hall.*

Neues Schloß in Stuttgart:
*Dieses letzte Stadtschloß des Barock in
Deutschland wurde 1746 unter Herzog
Karl Eugen begonnen. Es enthält Mini-
sterien und Repräsentationsräume. Der
Ehrenhof erweitert sich zum Schloßplatz
mit der Jubiläumssäule (1841). Ihren
Namen trägt die Stadt nach einem Gestüt
(»Stutengarten«) der schwäbischen Herzöge.*

Die Trinkhalle *des eleganten Kur-
ortes Baden-Baden wurde 1839–42 von
Heinrich Hübsch erbaut. Auf dem 90 Meter langen Wandelgang, der mit hellbrau-
nen Terrakottaplatten ausgekleidet ist, be-
grüßten sich schon im vorigen Jahrhundert
bekannte Persönlichkeiten aus aller Welt.
Die 14 Fresken mit badischen Sagenmoti-
ven stammen von Jakob Götzenberger.*

Die historischen Gärten des »Blühenden Barock« umrahmen das Ludwigsburger Schloß. Blumen- und Parkfreunde erleben hier ein wahres Fest der Sinne. Besonders sehenswert sind die nach alten Vorbildern rekonstruierten Vorgärten im klassizistischen Stil. Ein Teil des Parks ist für die Kinder reserviert. Im Märchengarten werden »Hänsel und Gretel«, »der Froschkönig« und »Rübezahl« zum Leben erweckt. Das Ludwigsburger Residenzschloß (1704–33) gehört mit 18 um drei Höfe angeordneten Gebäuden und 452 Räumen zu den größten barocken Schloßanlagen Deutschlands. Das Interieur reicht vom Spätbarock über das Rokoko bis zum Klassizismus. Schloß und Parkanlage sind ein Spiegelbild französischer Hofhaltung.

Der Hölderlinturm *in Tübingen am Neckar ist eine Pilger- und Kultstätte der deutschen Romantik. Hier verbrachte der geistig umnachtete Dichter Friedrich Hölderlin (1770–1843), Schöpfer bedeutender Oden, Elegien und Hymnen, die letzten 36 Jahre seines Lebens. Die Schreinerfamilie Zimmer hatte den Kranken, den Schiller seinen »liebsten Schwaben« nannte, in ihr Turmzimmer aufgenommen und bis zu seinem Tod geduldig versorgt. Im Turm, der durch Führungen interessierten Besuchern offensteht, sind zahlreiche von Hölderlin hinterlassene Schriften ausgestellt. Bis heute bezieht Tübingen seinen besonderen Reiz aus dem Gegensatz zwischen Provinzidylle und weltoffener Universitätsstadt. Die Hochschule wurde 1477 von Graf Eberhard im Bart gegründet und zieht bis heute Gelehrte und Studenten aus vielen Ländern an.*

Abendstimmung in Baden-Baden. *Zeit vielleicht für ein paar Stunden Entspannung und Nervenkitzel in der weltberühmten Spielbank. Der Kurort mit seiner internationalen Ausstrahlung war schon immer elegant, vielleicht sogar mondän. Berühmte Kurgäste gaben und geben sich die Klinke in die Hand. Johannes Brahms liebte Baden-Baden so sehr, daß er sich im Vorort Lichtental zwei Dachzimmer mietete und dort in den Sommermonaten zwischen 1865 und 1874 komponierte, unter anderem die 2., die Lichtentaler Sinfonie.*

Nachtansicht *des Freiburger Münsters Unserer Lieben Frau mit seinem 116 Meter hohen Westturm. Der berühmte Kunsthistoriker Jacob Burckhardt nannte ihn »den schönsten Turm der Christenheit«. Seine Spitze krönt eine durchbrochene Maßwerkpyramide. Der Bau des Münsters, eines der herausragenden Meisterwerke gotischer Baukunst, wurde um 1200 begonnen und 1513 vollendet. Sehenswert sind die wertvollen Glasfenster aus dem 13.–15. Jahrhundert und der Figurenzyklus in der Vorhalle. Klima, Gastronomie und Ambiente sowie ein hoher Freizeitwert sichern Freiburg im Breisgau eine herausragende Stellung unter den deutschen Städten und machen eine Visite in der »Hauptstadt des Schwarzwaldes« zu einem Erlebnis.*

Der Schwarzwald *ist nicht etwa schwarz, sondern er leuchtet: Ein farbenprächtiges Naturschauspiel bietet sich dem Betrachter beim Sonnenuntergang am Thurner. Der Schriftsteller Mark Twain hat diesem Phänomen Worte verliehen: »Die eigentümlichste Wirkung und die zauberhafteste bringt das weichgestreute Licht der tiefstehenden Nachmittagssonne hervor –; kein einziger Strahl kann dann eindringen, das weiche Licht erfüllt alles mit einem zarten grünen Dunst, der Theaterbeleuchtung des Märchenlandes.«*

»So treiben wir den Winter aus«
Alemannische Fasnet

Die »Fasnet« hat ihre Ursprünge in vorchristlicher, heidnischer Zeit. Mit Maskeraden (hier: »Rottweiler Gschellnarro«) sollten Dämonen gebannt und der Winter ausgetrieben werden. Derbe Fröhlichkeit und wilder Mummenschanz kennzeichnen die seit dem 14. Jahrhundert bekannten Umzüge zwischen Rottweil und Bad Säckingen.

In Ulm *setzt das Stadthaus des amerikanischen Architekten Richard Meier seit 1993 einen kontrovers diskutierten städtebaulichen Akzent. Im Hintergrund der Turm des Ulmer Münsters, mit 161,6 Metern der höchste Kirchturm der Welt.*

Burg Hohenzollern, *das Stammhaus des deutschen Kaisergeschlechts, thront majestätisch auf einem steilen Bergkegel über der Schwäbischen Alb. Sehenswert ist unter anderem die Schatzkammer der Burg, die neben edlem Tafelsilber und Gewändern von Friedrich dem Großen auch die preußische Königskrone von 1889 birgt.*

Barock in Vollendung *charakterisiert die Benediktiner-Abteikirche Zwiefalten am südlichen Rand der Schwäbischen Alb. Der lichte Innenraum dieses Meisterwerks sakraler Barockarchitektur wartet mit gleißendem Gold, reichem Stuck und den herrlichen Deckenfresken von Franz Joseph Spiegler auf.*

Das Wahrzeichen von Meersburg, *das Alte Schloß mit dem gewaltigen 1200 Jahre alten Dagobertsturm. Sieben Jahre lebte hier am Bodensee die Münsterländerin Annette von Droste-Hülshoff, Deutschlands größte Dichterin.*

Der geschnitzte Hochaltar *im Überlinger Münster ist ein Meisterwerk von Jörg Zürn. Überlingen am Bodensee, der Hauptort des Linzgaus, besitzt so viel mediterranes Flair, daß Liebhaber es »Nizza am See« tauften.*

Luftschiffe am Bodensee

Zeppelin

Ferdinand Graf von Zeppelin (1838–1917), geboren in Konstanz, war Luftfahrtpionier und Erfinder. Am 2. Juli 1900 stieg in Friedrichshafen Zeppelins erste »Luftzigarre« auf. Die Ära der Luftschiffe schien nach dem Unglück von Lakehurst 1937 zu Ende, doch steht die Idee heute vor einem Comeback.

Unter weißblauem Himmel

Bayern

D as bizarre Band der Berge, die Wälder und Seen, die ehrwürdigen Klöster, prachtvollen Kirchen und Biergärten – nahezu alles entspricht einer Postkartenidylle voller Geschichte und Geschichten. In der Völkerwanderungszeit siedelten hier Markomannen und Quaden an, die sich nach ihrer Heimat Bajuwaren nannten. Die Mär vom kleinwüchsig-wilden, dabei eigenartig gottesfürchtigen Bergvolk, in lederne Beinkleider gewandet und dem Bier im Übermaß zugetan, ist bis heute lebendig geblieben.

Doch Bayern ist zugleich das Mekka der High-Tech-Firmen und der Zukunftsindustrien. Wie ein Magnet zieht die Landeshauptstadt München ehrgeizige Technologen in ihren Bann; in ihrer Region sind die renommiertesten Forschungsinstitute der Republik entstanden.

»Oans, zwoa, gsuffa« – das Oktoberfest vereinigt alljährlich Hunderttausende von Besuchern, weit über Bayerns Grenzen hinaus. Abseits der großen Touristenströme, die die Altstadt von Rothenburg ob der Tauber, Würzburg und Nürnberg durchlaufen, ist das urtümliche Bayern zu entdecken – bodenständiges Brauchtum, das sich in Musik und Tanz widerspiegelt, im Volks- und Bauerntheater und in der Tracht. Eingebettet in eine grandiose Voralpenlandschaft: der Chiemsee, St. Bartholomä am Fuße des Watzmanns (Abbildung rechts) und nicht zuletzt die Königsschlösser Ludwigs II. Wer Ruhe und Erholung sucht, findet im Bayerischen Wald Orte, die noch ein Geheimtip sind.

Eine 500 Jahre alte Stadtmauer
mit 16 Türmen und vier Toren umgibt das
im 12. Jahrhundert gegründete Dinkelsbühl.
Neben vielen gut erhaltenen Fachwerkhäusern
beeindruckt vor allem das mächtige Münster St. Georg. Imposant wirkt das licht-
durchflutete Hauptschiff mit seiner Sand-
steinkanzel. Mit dem Deutschen Haus,
einem der schönsten Fachwerkhäuser Süd-
deutschlands, prägt es den Marktplatz.

Festung Marienberg *in Würzburg: Hoch über der Stadt, die so reich an grandiosen Bauwerken ist, erhebt sich majestätisch der Burgkomplex. Schon im Jahr 706 wurde an dieser Stelle eine Marienkirche geweiht. Um das Jahr 1200 wurde die Burg gegründet, die sich um die Marienkirche als bischöfliche Residenz entwickelte. Von 1253 – 1719 diente sie den Fürstbischöfen als Sitz. Die Hauptburg ist umgeben von einem mittelalterlichen Burgring. Anfang des 17. Jahrhunderts veranlaßte Julius Echter den Umbau zu einem beeindruckenden Renaissanceschloß. Aus dieser Zeit stammt auch der reizvolle Brunnentempel über dem 104 Meter tiefen Brunnen. Im Verlauf des 17. Jahrhunderts erfolgte der Ausbau zur Barockfestung und die Anlage des Fürstengartens.*

In Rothenburg ob der Tauber *ist Geschichte allgegenwärtig. Einzigartig ist das intakte mittelalterliche Stadtbild mit seiner alten Stadtmauer. Siebersturm und Plönlein, das auf der anderen Seite noch vom Kobolzeller Tor eingerahmt wird, vermitteln einen intensiven Eindruck vom mittelalterlichen Leben und Wohnen. Historische Spiele lassen alljährlich die wechselvolle Vergangenheit aufleben.*

Rätselhaft und königlich *stolz blickt der Bamberger Reiter, die berühmteste mittelalterliche Plastik Deutschlands, von seinem Sockel im Bamberger Dom. Bislang ist die Urheberschaft der Skulptur ebenso ungeklärt wie die Frage, wen der Jüngling darstellen soll. Bambergs einzigartige Altstadt mit dem Fischerviertel »Klein Venedig« und dem Alten Rathaus wurde 1993 von der UNESCO zum Weltkulturerbe erklärt.*

Die stolze Burg *ist das Wahrzeichen Nürnbergs. Die Stadt der Lebkuchen, Spielwaren und des weltgrößten Christkindlesmarktes ist für viele Besucher Inbegriff altdeutscher Romantik und Tradition. Neben der mächtigen Burganlage ist die Altstadt mit einem vollständig erhaltenen Mauergürtel über die Jahrhunderte gerettet worden. Sympathisch präsentiert sich die Frankenmetropole, die im 19. Jahrhundert über ihre Mauern hinauswuchs und sich zu einer Industriestadt entwickelte. Zusammen mit den Nachbarstädten Fürth und Erlangen bildet Nürnberg heute das größte Ballungsgebiet Nordbayerns.*

Auf dem grünen Hügel
Wagner in Bayreuth

Alljährlich pilgern Prominenz und Kulturbeflissene in das Bayreuther Festspielhaus, um den Opernklängen zu lauschen.
1872 siedelte Richard Wagner nach Bayreuth über und legte den Grundstein für das Opernhaus. Mit der Oper »Rheingold« wurde es eingeweiht.

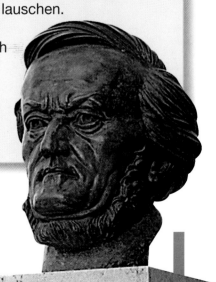

Pottenstein mit Burg Potten-stein *ist zweifellos die Tourismus-Metropole der Fränkischen Schweiz und einer ihrer ältesten Orte. Allein die Teufels-höhle lockt jährlich rund 250 000 Besucher an. Das weitverzweigte Netz der Gänge reicht bis in 70 Meter Tiefe und birgt Tropfstein-Gebilde, die wundersame Namen wie »Barbarossabart« und »Papstkrone« tragen. Die Fränkische Schweiz ist das größte zusammenhängende Höhlengebiet Deutschlands. Burg Pottenstein wurde vor rund 1000 Jahren zur Sicherung der Ost-grenze des Heiligen Römischen Reiches errichtet. Im Jahre 1878 erwarb ein vom Mittelalter begeisterter Nürnberger Apo-theker das Gemäuer und rettete es vor dem endgültigen Zerfall. Nördlich der Burg er-strecken sich die teilweise recht stattlich wirkenden Bürgerhäuser Pottensteins.*

▲ **Die Steinerne Brücke,** *die über 850 Jahre alt ist, führt über zwei Donauarme ins Herz der mittelalterlichen Altstadt von Regensburg. Die Doppeltürme des gotischen Doms überragen weithin sichtbar den historischen Stadtkern.*

▼ **Passaus Altstadt** *mit der größten Barockkirche nördlich der Alpen schlägt den Betrachter sofort in seinen Bann. Schon Humboldt war der Meinung, daß am Zusammenfluß von Donau, Inn und Ilz eine der sieben schönsten Städte der Welt liegt.*

▶ **Der Große Arber,** *der mit 1457 Metern höchste Berg im ostbayerischen Mittelgebirge, ist gerade im Winter besonders reizvoll. Rund um den »König des Bayerischen Waldes« liegt das Zentrum des hiesigen Wintersports. Durch einen Sattel ist der Große Arber mit dem 1384 Meter hohen Kleinen Arber verbunden. Unterhalb liegt der knapp sieben Hektar große und 15 Meter tiefe Große Arbersee. Der halb so große Kleine Arbersee soll, einer Sage nach, mit seinem »großen Bruder« durch einen unterirdischen Fluß verbunden sein.*

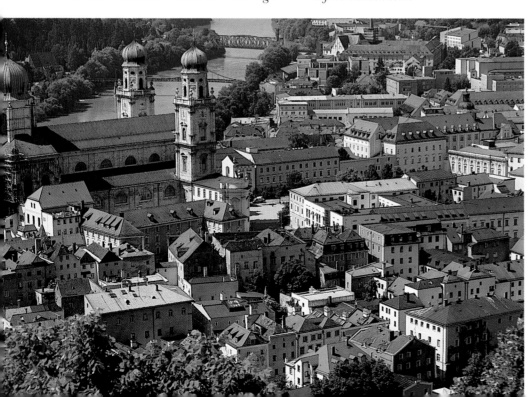

Auf der Mariensäule *steht, eingerahmt von den wuchtigen Backsteintürmen der Münchner Frauenkirche, die goldene, zierlich wirkenden »Patrona Bavariae« auf der Mariensäule. »Hier bin ich gern«, schrieb schon Mozart 1777 an seinen Vater. Die Frauenkirche mit ihren 99 und 100 Meter hohen Zwillingstürmen und den »Welschen Hauben«, die Mariensäule und der Turm des Neuen Rathauses bilden eine grandiose Komposition und sind Wahrzeichen der »Weltstadt mit Herz«. Viele historische Gebäude der Stadt wurden im Zweiten Weltkrieg stark beschädigt und mußten mit viel Einsatz, Zeit und Geld restauriert, renoviert und wiederaufgebaut werden.*

Der Biergarten *am Chinesischen Turm ist einer der vielen Treffpunkte im Englischen Garten. Er gehört wie die Wirtschaft am Kleinhesseloher See zu den »Klassikern« im weltgrößten Stadtpark. Trotz des Trubels in der sonnigen Jahreszeit trifft der Besucher hier immer noch ein Stück bayerischer Gemütlichkeit an. Den Englischen Garten verdanken die Münchener dem amerikanischen Physiker und Politiker Graf von Rumford. Er riet seinem unbeliebten Wittelsbacher Herrscher, einen Erholungs- und Vergnügungspark für das Volk zu bauen.*

Ein Marktplatz der besonderen Art
Der Viktualienmarkt

Biergartenatmosphäre mischt sich auf dem Viktualienmarkt mit dem bunten Treiben des größten und ältesten Marktes in München. Figuren bekannter Münchner Volksschauspieler und -sänger umrahmen das quirlige Leben. Standlfrauen preisen hier lautstark ihre Waren an. Kulinarische Exotik und bayerische Genußfreude verschmelzen zu einem einzigartigen Potpourri.

Oberbayerns schönsten Ausblick *genießen Bergwanderer vom Gipfelkreuz der Zugspitze aus. Schauen und Schweigen lautet die Devise angesichts der überwältigenden Bergwelt der Alpen. Ein junger bayerischer Leutnant hat diesen Panoramablick im Jahr*

1820 als erster genossen – im Auftrag des »Königlichen Topographischen Bureaus«. Seither ist viel geschehen. Deutschlands höchster Gipfel (2962 Meter) am Westrand des Wettersteingebirges ist durch Zugspitz- und Seilschwebebahn touristisch erschlossen worden.

Idylle der Dichter und Maler:
Schon immer war der Blick auf die Halb-
insel Wasserburg und die schneebedeckten
Gipfel der Alpen Inspiration für Künstler
wie Martin Walser, der hier geboren wurde. Auch Hochzeitspaare kommen gern ins
malerische Wasserburg, um hier zu heira-
ten. Bis 1720 war Wasserburg eine Insel,
die nur durch eine Zugbrücke mit dem
Festland verbunden war. Als der Besitzer,
ein verarmter Fugger, anfallende Repara-
turen nicht mehr bezahlen konnte, ließ er
einen Damm aufschütten.

Ludwig II., der bayerische »Mär-
chenkönig«, ließ 1869 seinen Traum,
das Schloß Neuschwanstein, in der herrlichen Bergwelt des Ammergaus Wirklichkeit werden. Die schlanken, steil auf-
ragenden Türme des Traumschlosses
erinnern an die bizarren Zinnen der na-
hen Berge. König Ludwig wurde auf
Neuschwanstein festgenommen und von
dort in Gewahrsam auf Schloß Berg am
Starnberger See gebracht.

Zur Tragik des »Kini« gehört, daß er in
seinem unvollendeten Schloßbau – die
Arbeiten wurden nach seinem Tod 1886
eingestellt, dann aber doch bis 1892 fort-
geführt – nie die weltferne Ruhe und
Abgeschiedenheit fand, die er sich
wünschte. In dem prächtigen Sängersaal,
den Christian Jank nach dem Vorbild der
Wartburg errichtete, fand erst 1969 das
Eröffnungskonzert statt – 100 Jahre
nach dem Tod Ludwigs II.

Register